Bienvenue

Glencoe French 1A

Bienvenue

Conrad J. Schmitt
Katia Brillié Lutz

Glencoe
McGraw-Hill

New York, New York   Columbus, Ohio   Woodland Hills, California   Peoria, Illinois

Glencoe/McGraw-Hill

*A Division of The **McGraw·Hill** Companies*

Printed in the United States of America.

Send all inquiries to:
    Glencoe/McGraw-Hill
    21600 Oxnard Street, Suite 500
    Woodland Hills, CA 91367

ISBN 0-02-636681-9 (Student Edition)
ISBN 0-02-636682-7 (Teacher's Wraparound Edition)

    6 7 8 9 0   003   03 02 01

Photography

Front Cover: © Vidler, Steve/Leo de Wys Inc.
Air France: 193, 194/1; Amantini, S./ANA: 111/3; Antman,
M./Scribner: 16T, 26B, 55, 66B, 67, 72, 76, 83/4, 98, 99, 101,
107/3, 117, 136, 138, 144/2, 161, 187, 205, 212B, 214B; Archive
Photos/Archive France: 233; Art Resource, NY: 122BL; Ascani,
S./Hoa-Qui: 221/5; Bohem, M./La Photothèque SDP: 111/4; Bohin,
JL/Explorer: 31B; Brun, J./Explorer: 113/10; Bureau de Poids et
Mésures: 229R; Chardon, Phillipe/Option Photo: 119BR;
Comnet/Westlight: 30; Courlas, Tim/Horizons: 60, 172T, 183T,
218T; Crallé, Gary/The Image Bank: 223/9; Christian, Erwin/Leo
de Wys Inc.: 113/11; Dung, Yo Trung/Gamma Liaison: 40; Florenz,
David/Option Photo: 32/3; Fischer, Curt: ix, x, xiM, xiB, xii, xiii,
2TR, 4R, 5, 6, 9T, 16B, 20B, 32-33, 32/1, 33/6, 34, 35R, 40, 48T,
50/1, 50/3, 50/5, 59/1, 102B, 105B, 106-107, 109, 115, 116, 124-
125, 135, 142L, 145/3, 160, 166B, 168B, 169, 170-171, 170/2,
170/3, 173, 179, 183, 186T, 188, 194-195, 195/3, 207, 212, 216-
217, 216/1, 217/3, 218, 227; Gabriel/Explorer: 50/4; Gaveau,
Alain: xiT, 90, 105T, 106/2; Gerda, Paul/Leo de Wys Inc.: 110/2;
Gerometta Soncin, Roberto/Photo 20-20: 50/6, 66T, 107/4, 134;
Giraudon/Art Resource, NY: 58/2, 123B; Gordon, Larry D./The
Image Bank: 202; Gossler/Schuster/Explorer: 222/6; Gschiedle,
Gerhard/Scribner: 70; Hazat, V./Explorer: 20T; Hinous, Pascal/Top
Agence: 217/4; Hoa-Qui: 220/1, 221/3; Horowitz, Ted/The Stock
Market: 121R; Huet, M./Hoa-Qui: 165; Index Stock Photography:
120; Jenny, Andre/International Stock: 220/2; Jenny, Andre/Photo
20/20: 112/8; Jones, Spencer/Bruce Coleman: 214T; Kenny, Gill
C./The Image Bank: 59/3; Kiki, Ozu/La Photothèque SDP: 29T;
Kirtley, M&A/ANA: 33/4, 221/4; Losito, Brian/Air Canada: 185;
Louvet, AM/Explorer: 31T; Manceau, M./Rapho/Gamma Liaison:
145/4; Marché, Guy/FPG: 75; Menzel, Peter: 27, 31M, 83/2; Meyer,
Carl F.: 108; Moati/Kleinefenn/Opéra de Paris-Bastille: 123T;
Neumiller, Roberto/ANA: 113/9; Nouvel, Daniel/Option Photo:
119BL; Renaudeau, M/Hoa-Qui: 97, 189; Rey, Jean/ANA: 56; Rowe,
Wayne: xiv-1, 2TL, 2B, 3, 4L, 9B, 10, 12-13, 19, 22, 26T, 28T,
32/2, 35L, 36-37, 45, 50/3, 54, 58-59, 62-63, 70, 78, 80, 82-83,
82/1, 83/4, 84, 86-87, 96, 102T, 103, 122BR, 140, 141, 142R, 144-
145, 148-149, 152, 153, 158, 163, 166T, 168T, 170/1, 172, 174-
175, 196, 198-199, 211; Scala/Art Resource, NY: 59/4; Simmons,
Ben/The Stock Market: 33/6; Sioen, Gérard/Rapho/Gamma
Liaison: 48B; SNCF: 215; Stock, Dennis/Magnum: 197; Talby,
I/Rapho/Gamma Liaison: 83/3; Tauquer, Siegfried/Leo de Wys Inc.:
111/5; Tetefolle, F./Explorer: 121L; Thomas, Marc: 114, 143,
147, 190B; Tovy, Adina/Photo 20-20: 29B, 119TR; Travelpix/FPG:
110/1; Truchot, R./Explorer: 119TL; V&A/Art Resource, NY:
123M; Vaisse, C./Hoa-Qui: 111/6; Valentin, C./Gamma Liaison:
223/8; Vanni/Art Resource, NY: 122TR; Vidler, Steve/Leo de Wys
Inc.: 224; Vielcanet, Patrick/Allsport-Vandystadt: 50T; Viollet
Collection/Roger-Viollet/Gamma Liaison: 229TL; Watts,
Ron/Westlight: 112/7; Wolf, A./Explorer: 192; Zuckerman,
Jim/Westlight: 28.

Illustration

Abadie, Stéphane: 100; Allaire, Michele: 88, 89; Collin, Marie
Marthe: 38, 39, 74, 128, 208; Daylight, Heather: 150,151; Gorde,
Monique: 92, 93, 94T; Gregory, Lane: 14, 15, 17, 18, 46, 47, 49,
77; Kieffer, Christa: 7, 10, 156; Lao, Ralph/Lotus Art: 228B;
Locoste-Laplace, Nathalie: 41, 226; Metivet, Henry: 71, 137, 180,
181, 203, 204; Miller, Lyle: 126, 127, 176, 177, 200, 201, 210;
Miyamoto, Masami: 52, 53, 91R, 94B, 104; Preston, Heather:
120,121, 228T; Spellman, Susan: 24, 25, 64, 65; Taber, Ed: 42, 54,
79, 103, 140, 167, 191, 213; Thewlis, Diana: 8, 44, 51, 68, 69, 95,
129, 130, 131, 154, 155, 178, 230, 231.

Realia

Air Canada: 185; Air France: 191, 194; Air Inter: 179, 182; Air
Orient, ©ARS, New York/ADAGP, Paris, illustration Paul Colin:
195; Allô Pizza: 146; Collège Eugène Delacroix: 85; Les ÉDITIONS
ALBERT RENÉ/GOSCINNY-UDERZO, Carte postale éditée par ADMIRA:
91L; Éditions Gallimard: 233; Jazz Magazine: 139; Ministère de
l'Éducation Nationale: 81; Okapi Magazine: 43; Restaurant Marty:
133; SNCF: 206; © Télérama: 60; Le Train Bleu Restaurant, Gare
de Lyon: 219.

Fabric designs by *Les Olivades*.

Maps

Eureka Cartography, Berkeley, CA.

In appreciation

*Special thanks to the following people in France for their cordial
assistance and participation in the photo illustration:*

M. le Maire d'Ansouis; M. le Proviseur, les professeurs et les
élèves du Lycée Henri IV; M. le Proviseur, les professeurs et les
élèves du Lycée Val de Durance; Mme le Principal, les professeurs,
en particulier Mlle Marie-Claude Éberlé, et les élèves du Collège
Mignet; M. le Principal, les professeurs et les élèves du Collège du
Pays d'Aigues; M. Jacques Lefèbvre et les élèves du Lycée du Parc
Impérial; Groupe Scolaire Sainte-Anne

Dr Christian Amat, Marie-Françoise, Camille, Emmanuel et
Alexandre Amat/Jean-Pierre Antoine et Bébé le caniche/Helena
Appel/La Famille Baud/Sonia Benaïs/La Famille Bérard/Jérôme
Bernard/Sylvain Casteleiro/Adelaïde Chanal/Amy Chang/Andréa
Clément/Émilie Cusset/La Famille Dandré et Josué/Michèle
Descalis/Denise Deschamps/Mme Duclos/Élisabeth Éberlé/Jeanne
Grisoli/Hélène Guion/David Hadida/Amelle Hafafsa, Amar et
Riad/Thomas Hardy/Simone Kayem/Marie-France Lamy/Olivier
Lucas/Harry Magdaléon/Dr Francis Maguet/Barbara Marone et
Jessie le collie/Katy Martin/Jean Martinez/Dr Jean Mori/Claudette
Mori/Elarif M'Ze/Magali Parola/Daniel Pauchon/Olivier
Perrière/Élodie Perrin/Nelly Pouani/Estelle et Hélène Puigt/Claude
Rivière/Nadège Rivière/Elzéar, Foulques et Amic de Sabran-
Pontevès/Maître Frédéric Sanchez, avocat/Kalasea Sanchez/Martine
Serbin/Michel Skwarczewski/Florence Vareilles/Maître Marie-
Christine Viard-Vassiliev, avocate/Jonathan Viretto/Bernard et
Jacqueline Vittorio

Air France (M. Philippe Boulze)/L'Art Glacier/Banque Marseillaise
de Crédit/Boutique Frenchy's/Cabinet du Dr Amat/Cabinet du
Dr Maguet/Charcuterie Guers/Compact Club/Complexe Sportif du
Val de l'Arc/Fromagerie Gérard Paul/les Gendarmes de Beaumont/
Grand Café Thomas/Le Grand Véfour (M. Guy Martin)/Hôtel Le
Moulin de Lourmarin/ Pâtisserie Chambost/Pharmacie de
l'Europe/Restaurant La Récréation/Restaurant Le Viêt-Nam/Salon
de Coiffure Sylvie

About the Cover

The Eiffel Tower is located on the Left Bank in the 7th arrondissement. It was designed by Gustave Eiffel for the Exposition Universelle of 1889 and was conceived originally as a temporary addition to the Paris skyline. It has since become the symbol of Paris.

Acknowledgments

We wish to express our deep appreciation to the numerous individuals throughout the United States and France who have advised us in the development of these teaching materials. Special thanks are extended to the people whose names appear below.

Esther Bennett
Notre Dame High School
Sherman Oaks, California

Brillié Family
Paris, France

Kathryn Bryers
French teacher
Berlin, Connecticut

G. Gail Castaldo
The Pingry School
Martinsville, New Jersey

Veronica Dewey
Brother Rice High School
Birmingham, Massachusetts

Lyne Flaherty
Hingham High School
Hingham, Massachusetts

Marie-Jo Hoffmann
Poudre School District
Fort Collins, Colorado

Marcia Brown Karper
Fayetteville-Manlius Central Schools
Manlius, New York

Annette Lowry
Ft. Worth Independent School District
Ft. Worth, Texas

Fabienne Raab
Paris, France

Sally Schneider
Plano Independent School District
Plano, Texas

Faith Weldon
Schalmont Central School District
Schenectady, New York

TABLE DES MATIÈRES

PART A

BIENVENUE

CHAPITRE 1

UNE AMIE ET UN AMI

CHAPITRE 2

LES COPAINS ET LES COURS

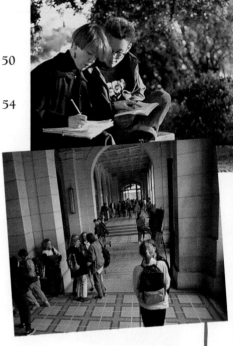

CHAPITRE 3

EN CLASSE ET APRÈS LES COURS

CHAPITRE 4

LA FAMILLE ET LA MAISON

CHAPITRE 5

AU CAFÉ ET AU RESTAURANT

CHAPITRE 6

ON FAIT LES COURSES

CHAPITRE 7

L'AÉROPORT ET L'AVION

CHAPITRE 8

À LA GARE

APPENDICES

BIENVENUE

A
BONJOUR!

—Salut, Daniel!
—Salut, Stéphanie!

—Bonjour, Jean-Paul!
—Bonjour, Pierre!

When greeting a friend in French, you say *Salut* or *Bonjour*.
Salut is a less formal way of saying hello.

—Bonjour, Madame.

—Bonjour, Mademoiselle.

—Bonjour, Monsieur.

1. When greeting an adult in French, you say *Bonjour* with the person's title. You do not use the person's name with the title.

2. The following are abbreviations for these titles.

   M.   Monsieur   Mme   Madame   Mlle   Mademoiselle

Activités de communication orale

A **Salut!**   Choose a partner. Greet each other. Be sure to shake hands.

B **Bonjour.**   Greet your French teacher.

C **Monsieur, Madame, Mademoiselle.**   Choose a partner. Greet the following people. Your partner answers for the other person.

1. the principal of your school
2. your English teacher
3. a young saleswoman at the record store
4. your neighbor, Mr. Smith
5. your parents' friend, Mrs. Jones

B
ÇA VA?

—Salut, Marc.
—Salut, Valérie. Ça va?

1. When you want to find out from a friend how things are going, you ask:

    Ça va?

2. Responses to *Ça va?* include:

    Ça va, merci.
    Bien, merci.
    Pas mal! Et toi?

—Ça va bien, merci. Et toi?
—Pas mal!

Activités de communication orale

A **Salut!** Greet a classmate using the following expressions. Then reverse roles.

1. Salut!
2. Ça va?

B **Ça va?** You are walking down a street in Arles in southern France when you run into one of your French friends (your partner).

1. Greet each other.
2. Ask each other how things are going.

C

AU REVOIR

—Au revoir, Didier.
—Au revoir, Martine.

—Ciao, Gérard.
—Ciao. À tout à l'heure.

1. A common expression to use when saying good-bye is:

    Au revoir!

2. If you plan to see someone later in the day you say:

    À tout à l'heure!

3. An informal expression that you will hear frequently is:

    Ciao!

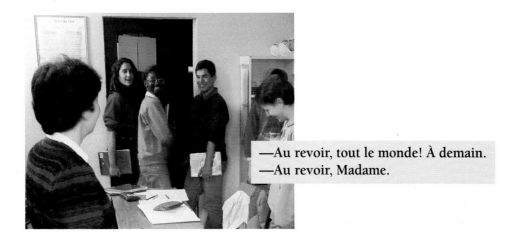

—Au revoir, tout le monde! À demain.
—Au revoir, Madame.

4. If you plan to see someone the next day, you say:

À demain.

Conversation

—Salut, Christian.
—Salut, Francine. Ça va?

—Ça va bien, et toi?
—Pas mal, merci.

—Ciao, Christian.
—Ciao. À tout à l'heure!

Activités de communication orale

A **Salut!** Say the following to a classmate. He or she answers.

1. Salut!
2. Ça va?
3. Au revoir.
4. Ciao!

B **Au revoir!**

1. Say good-bye to your French teacher. Say you'll see him or her tomorrow.
2. Say good-bye to a friend. Say that you'll see him or her later in the day.

D

QUI EST-CE?

Conversation

GARÇON 1: Qui est-ce?
GARÇON 2: Qui ça?
GARÇON 1: La fille là-bas.
GARÇON 2: C'est Mireille Claudel.

(She comes up to them.)
GARÇON 2: Mireille, c'est Guillaume.
FILLE: Salut, Guillaume.
GARÇON 1: Salut, Mireille.

1. When you want to know who someone is, you ask:

   Qui est-ce?

2. When you want to identify a person or introduce a person to someone else, you use *c'est* + the person's name.

   C'est Mireille Claudel.

Activités de communication orale

A **Qui est-ce?**   Ask a classmate who someone else in the class is.

B **C'est…**   Introduce someone you know to another person in the class.

C **Qui ça?**   Prepare the following conversation with two classmates.

1. Greet your classmate.
2. Ask him or her who someone else in the class is.
3. Say hello to the new person.
4. Ask him or her how things are going.
5. Say good-bye to one another.

E

QU'EST-CE QUE C'EST?

un cahier

un crayon

une chaise

un stylo

une table

un ordinateur

un livre

un autre livre

une calculatrice

un sac à dos

une feuille de papier

une autre feuille de papier

un bureau

un tableau

un morceau de craie

un devoir

1. When you want to know what something is, you ask:

   Qu'est-ce que c'est?

2. When you want to identify the object, you use *C'est* + the name of the object.

   C'est un cahier.

Activité de communication orale

A **C'est un (une)…** Work with a partner. He or she will hold up or point out five classroom objects and ask you what each one is.

F

OÙ EST... ?

Où est le livre?

sur le bureau

dans le bureau

Où est Pierre?

devant Paul
derrière Monique

Paul   Pierre   Monique

Exercices

A   **Où est... ?**   Répondez d'après le dessin. (*Answer according to the illustration.*)

1. Où est le livre?
2. Où est le crayon?
3. Où est le cahier?
4. Où est l'ordinateur?
5. Où est la calculatrice?

B   **Qui est devant ou derrière?**
Répondez d'après le dessin. (*Answer according to the illustration.*)

1. Qui est devant Marie?
2. Qui est derrière Paul?
3. Qui est devant Marc?
4. Qui est derrière Suzanne?

A

B

Suzanne   Marie   Paul   Marc

Activités de communication orale

A   **Où est... ?**   Place a classroom object somewhere in the room. Have a classmate tell you where the item is using *sur, dans, devant,* or *derrière.*

B   **Devant ou derrière?**   Choose a row of students and tell where each person is seated in relation to another classmate in the row.

G

C'EST COMBIEN?

—C'est combien, Madame?
—Six francs, Mademoiselle.
—Merci, Madame.

1. When you want to find out how much something is, you ask:

    C'est combien?

2. In order to understand the answer, you must know some numbers. On the right are the numbers in French from zero to sixty.

LES NOMBRES DE ZÉRO À SOIXANTE			
0	zéro		
1	un	21	vingt et un
2	deux	22	vingt-deux
3	trois	23	vingt-trois
4	quatre	24	vingt-quatre
5	cinq	25	vingt-cinq
6	six	26	vingt-six
7	sept	27	vingt-sept
8	huit	28	vingt-huit
9	neuf	29	vingt-neuf
10	dix	30	trente
11	onze	31	trente et un
12	douze	40	quarante
13	treize	41	quarante et un
14	quatorze	50	cinquante
15	quinze	51	cinquante et un
16	seize	60	soixante
17	dix-sept		
18	dix-huit		
19	dix-neuf		
20	vingt		

Activités de communication orale

A **C'est combien?** Tell how much French money is in each picture.

Dix francs.

1.

2.

3.

4.

B **À la papeterie.** You are spending the school year in France and are buying the following supplies at the stationery store. Ask the saleperson (your partner) how much each item is.

H

UN CAFÉ, S'IL VOUS PLAÎT

—Bonjour.
—Un café, s'il vous plaît.

(The waiter brings the coffee.)
—Merci.
—Je vous en prie.

(He's ready to leave.)
—C'est combien, le café, s'il vous plaît?
—Dix francs, Monsieur.

1. Expressions of politeness are always appreciated. Below are the French expressions for "Please," "Thank you," and "You're welcome."

FORMAL	INFORMAL
S'il vous plaît.	S'il te plaît.
Merci.	Merci.
Je vous en prie.	Je t'en prie.

2. Other formal ways to say "You're welcome" are:

Ce n'est rien.   **Il n'y a pas de quoi.**

Other informal ways to say "You're welcome" are:

De rien.   **Pas de quoi.**

Activités de communication orale

A **Un coca, s'il vous plaît.** You are at a café in Dinard, a lovely resort in Brittany. Order the following items from the waiter or waitress (your partner).

1. un coca
2. un café
3. un sandwich
4. une limonade
5. un thé

6. une soupe à l'oignon
7. une salade
8. une omelette
9. une tarte aux fruits

B **C'est combien, la limonade?** You are now ready to leave the café. Ask the waiter or waitress how much you owe for the following items. (He or she can check the prices on the menu on the right.)

1. le café
2. le sandwich

3. la limonade
4. le dessert

5. la soupe
6. la salade

Café de Dinard

Sandwich	18,00
Salade	20,00
Omelette	24,00
Soupe à l'oignon	25,00
Tarte aux fruits	15,00
Coca	10,00
Café	6,00
Limonade	11,00
Thé	6,00

Vocabulaire

NOMS

un tableau
un morceau de craie
un bureau
un ordinateur
une calculatrice
une table
une chaise
un crayon
un stylo
une feuille de papier
un devoir
un cahier
un livre
un sac à dos

une fille
un garçon
Madame (Mme)
Mademoiselle (Mlle)
Monsieur (M.)

PRÉPOSITIONS

derrière
devant
dans
sur

AUTRES MOTS
ET EXPRESSIONS

Bonjour.
Salut.

Ça va.
bien
Pas mal.
Au revoir.
ciao
À tout à l'heure.
À demain.

s'il vous plaît
s'il te plaît
Merci.
Je vous en prie.
Je t'en prie.
Ce n'est rien.
De rien.
(Il n'y a) pas de quoi.

autre
c'est
là-bas
oui
tout le monde

combien
où
Qu'est-ce que c'est?
Qui est-ce?

NOMBRES
zéro–soixante (0–60)

CHAPITRE 1

UNE AMIE ET UN AMI

OBJECTIFS

In this chapter you will learn to do the following:

1. ask or tell where someone is from
2. ask what someone is like
3. describe yourself or someone else
4. name people and things
5. tell some differences between French and American schools

VOCABULAIRE

MOTS 1

Comment est la fille?

petite   grande   brune

contente   amusante

Voici Yvonne Delacroix.
Yvonne Delacroix est française.
Salut, Yvonne!

D'où est Yvonne?
Elle est de Paris.

Comment est le garçon?

petit

grand

brun

content

amusant

LYON

Voici Jean-Luc Charpentier.
Jean-Luc Charpentier est français
  aussi.
Salut, Jean-Luc!

D'où est Jean-Luc?
Il est de Lyon.

Note: You have already seen that many words in French and English look alike even though they are pronounced quite differently. Such words are called cognates. The following are some cognates used to describe people.

américaine	américain
blonde	blond
impatiente	impatient
intelligente	intelligent
intéressante	intéressant
patiente	patient
confiante	confiant

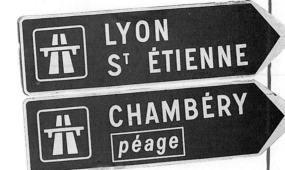

Exercices

A **Une Française, Yvonne Delacroix.** Répondez. (*Answer.*)

1. Yvonne Delacroix est française?
2. Elle est grande ou petite?
3. Elle est amusante?
4. Elle est contente?
5. Yvonne est brune?
6. Elle est de Paris?

B **Salut, Jean-Luc!** Répondez. (*Answer.*)

1. Jean-Luc Charpentier est français ou américain?
2. Il est brun ou blond?
3. Il est intelligent?
4. Il est amusant aussi?
5. Il est content?
6. Jean-Luc est intéressant?
7. Il est de Lyon?

C **Un Français et un Américain.** Répondez d'après les photos. (*Answer according to the photos.*)

1. Qui est américain, Marc ou Paul?
2. Qui est français?
3. Qui est de Paris?
4. Qui est de New York?
5. Qui est brun?
6. Qui est blond?
7. Qui est content?
8. Qui est impatient?

Marc Hugot

Paul Green

MOTS 2

une amie

un ami

une école américaine

une élève

un lycée français

un élève

Yvonne Delacroix
la sœur

Paul Delacroix
le frère

Claude Gautier
un ami

Yvonne Delacroix est française.
Yvonne est élève dans un lycée.
Yvonne est la sœur de Paul Delacroix.
Yvonne est une amie de Claude Gautier.
Paul est un ami de Claude aussi.

Bonjour, tout le monde.
Je suis Richard, Richard Williams.
Moi, je suis américain.
Je ne suis pas français.
Je suis de Miami.
Je suis élève dans une école secondaire américaine.
Je suis très populaire, n'est-ce pas?

Note: The following are other cognates used to describe people.

aimable	fantastique
désagréable	énergique
timide	populaire
comique	célèbre
sincère	

There are many French words for which there is no exact English equivalent. Such a word is *sympathique*. It has the meanings "nice," "pleasant," and "friendly." In informal French *sympathique* is often shortened to *sympa*. Its opposite is *antipathique*.

Exercices

A **Une élève française.** Choisissez. (*Choose the best answer.*)

1. ___ est française.
   a. Yvonne Delacroix
   b. Claude Gautier

2. Yvonne est élève dans ___.
   a. une école américaine
   b. un lycée français

3. Yvonne est ___.
   a. de Paris   **b.** de Miami

4. Yvonne est ___ de Paul Delacroix.
   a. une amie   **b.** la sœur

5. Yvonne est ___ de Claude Gautier.
   a. une amie   **b.** la sœur

6. Paul Delacroix est ___ d'Yvonne.
   a. un ami   **b.** le frère

7. Et Claude Gautier est ___ d'Yvonne.
   a. un ami   **b.** le frère

B **Comment est Richard Williams?** Répondez. (*Answer.*)

1. Richard est français ou américain?
2. D'où est Richard?
3. Il est élève dans une école secondaire américaine ou dans un lycée français?
4. Comment est Richard? Il est brun ou blond?
5. Il est petit ou grand?
6. Il est aimable ou désagréable?
7. Richard est sympathique ou antipathique?

C Élisabeth Gautier. Complétez. (*Complete.*)

1. Élisabeth Gautier est la sœur de Claude Gautier. Elle est de quelle ville? Elle est de Paris. Elle est ___. Elle n'est pas ___.
2. Élisabeth est élève dans un ___. Elle n'est pas élève dans une école secondaire américaine.
3. Élisabeth est ___. Elle n'est pas blonde.
4. Elle est aimable. Elle n'est pas ___.
5. Élisabeth est une amie ___. Elle n'est pas antipathique.

Activités de communication orale
Mots 1 et 2

A Gilles Baud. Here's a photo of Gilles Baud. He's a student from Strasbourg. Say as much as you can about Gilles.

B Caroline Baud. The blond girl in the photo below is Gilles Baud's sister, Caroline. She's a student in Strasbourg, too. Say a few things about her.

C Qui est-ce? Describe a classmate but don't mention his or her name. Someone in the class has to guess who it is.

STRUCTURE

| Les articles indéfinis et définis au singulier | *Talking about One Person or Thing* |

LES ARTICLES INDÉFINIS

1. The name of a person, place, or thing is a noun. In French, every noun has a gender, either masculine or feminine. Many words that accompany nouns can indicate their gender in French. They are called gender markers. An article is such a word.

2. The French words *une* and *un* are indefinite articles. They correspond to *a (an)* in English. You use an indefinite article when speaking about a non-specific person or thing: *a girl, an exam.* Study the following examples with the indefinite article.

FÉMININ	MASCULIN
une fille	un garçon
une sœur	un frère
une école	un lycée
une calculatrice	un ordinateur

3. You use the indefinite article *une* before all feminine nouns. You use the indefinite article *un* before all masculine nouns.

Exercices

A   Alain et Charles.   Complétez avec «un» ou «une». (*Complete with* un *or* une.)
1. Alain est ___ garçon très sympathique.
2. Alain est ___ ami de Charles.
3. Charles est ___ élève très intelligent.
4. Il est élève dans ___ école secondaire à New York.
5. Annette est la petite sœur d'Alain. Elle est élève dans ___ école primaire.
6. Suzanne est ___ amie d'Alain, pas d'Annette.

B **Qu'est-ce que c'est?** Répondez d'après les photos. (*Answer according to the photos.*)

 1.

 2.

 3.

 4.

5.

6.

7.

1. C'est un stylo ou un crayon?
2. C'est un cahier ou une feuille de papier?
3. C'est une calculatrice ou un ordinateur?
4. C'est un livre ou un cahier?
5. C'est un tableau ou un bureau?
6. C'est une table ou une chaise?
7. C'est une feuille de papier ou un sac à dos?

LES ARTICLES DÉFINIS AU SINGULIER

1. You use the definite article when referring to a definite or specific person or thing: *the boy, the desk*. Study the following examples of definite articles.

FÉMININ	MASCULIN
la fille	le garçon
la sœur	le frère
la chaise	le bureau

2. You use the definite article *la* before a feminine noun. You use the definite article *le* before a masculine noun.

3. You use the definite article *l'* before a masculine or feminine noun that begins with a vowel or silent *h*. The vowels are *a, e, i, o, u*.

l'élève	l'école
l'ami	l'hôtel
l'amie	

Exercice

A **Richard Williams et Claudine Simonet.** Complétez avec *le, la* ou *l'*. (*Complete with* le, la, *or* l'.)

___ garçon, Richard Williams, est américain mais ___ fille, Claudine Simonet,
  1   2

n'est pas américaine. Elle est française. Claudine est ___ amie de Gilbert
                                                          3

Duhamel et ___ sœur de Christian Simonet. Richard n'est pas ___ ami de
                4   5

Claudine: il est de Miami et Claudine est de Lille. Richard est ___ ami de
                                                        6

Suzanne Jackson et ___ frère de Cassandra Williams. Richard est élève et
                            7

Claudine est élève aussi. ___ école de Richard est à Miami et ___ lycée de
                          8   9

Claudine est à Lille.

L'accord des adjectifs au singulier — *Describing a Person or Thing*

1. A word that describes a noun is an adjective. The italicized words in the following sentences are adjectives.

   > **La fille est** *française.*   **Le garçon est** *français.*
   > **Yvette est** *intelligente.*   **Robert est** *intelligent.*

2. In French, an adjective must agree with the noun it describes or modifies. If the noun is masculine, then the adjective must be in the masculine form. If the noun is feminine, the adjective must be in the feminine form. An adjective is therefore a gender marker. Most adjectives follow the noun.

   > **une fille blonde**   **un garçon blond**

3. Many feminine adjectives end in *e*. When the *e* follows a consonant, you pronounce the consonant.

   > **peti*te***   **gran*de***   **intelligen*te***

4. Many masculine adjectives end in a consonant. Since the consonant is not followed by an *e*, you do not pronounce the final consonant.

   > **peti/**   **gran/**   **intelligen/**

5. Certain feminine adjectives, such as *brune*, end in *ne*. You pronounce the *n* in these words. The masculine form is written without the *e*. The vowel that goes before the *n* is nasal.

   > **brune**   **brun**

6. Many adjectives that end in an *e* have only one singular form. You use this form with both masculine and feminine nouns. Study the following examples.

> **Charles est un garçon sincère. Il est sympathique.**
> **Carole est une fille sincère. Elle est très sympathique.**

Exercices

A **Prononciation.** Répétez après votre professeur. (*Repeat after your teacher.*)

FÉMININ	MASCULIN		FÉMININ	MASCULIN
1. américaine	américain	5.	petite	petit
2. blonde	blond	6.	intelligente	intelligent
3. brune	brun	7.	intéressante	intéressant
4. grande	grand	8.	française	français

B **Marie-Thérèse et François.** Répondez d'après le dessin. (*Answer according to the illustration.*)

1. Marie-Thérèse est française ou américaine?
2. Elle est blonde ou brune?
3. Elle est grande ou petite?
4. Elle est amusante?
5. François est le frère de Marie-Thérèse?
6. François est blond ou brun?
7. Il est grand ou petit?
8. Il est amusant?
9. Marie-Thérèse est élève dans un lycée français ou dans une école américaine?
10. Et le frère de Marie-Thérèse est élève dans un lycée français ou dans une école américaine?

François et Marie-Thérèse Leroux

C **Carole et André.** Complétez. (*Complete.*)

1. Carole Colbert est une amie ___ et ___. (amusant, sincère)
2. André est le frère de Carole. André est ___ aussi. Il est ___. Il n'est pas ___. (amusant, aimable, désagréable)
3. Carole est élève dans un lycée ___ ___. (français, célèbre)
4. Et moi, je suis ___ (*your name*). Je suis ___. Je ne suis pas ___. (américain, français)
5. Je suis élève dans une école ___ ___. (secondaire, américain)
6. Je ne suis pas élève dans un lycée ___. (français)

Le verbe *être* au singulier

1. The verb "to be" in French is *être*. Note that the form of the verb changes with each person. Study the following.

ÊTRE			
je suis	tu es	il est	elle est

2.

Je suis française.

You use *je* to talk about yourself.

Tu es américain?

You use *tu* to address a friend.

Il est intelligent.

You use *il* or the person's name to talk about a male.

Elle est intelligente.

You use *elle* or the person's name to talk about a female.

3. You also use *il* and *elle* when referring to things.

> **Le stylo est sur la table. Il est sur la table.**
> **La calculatrice est dans le bureau. Elle est dans le bureau.**

Exercices

A **En France.** Répétez la conversation. (*Practice the conversation.*)

Salut!

Salut! Tu es Chantal Binand, n'est-ce pas?

Oui, je suis Chantal. Et toi, tu es David, non?

Oui, je suis David Butler.

Tu es américain, David?

Oui, je suis de Saint-Louis.

B Pardon! Répondez d'après le modèle. *(Answer according to the model.)*

> Élève 1: Je suis de Paris.
> Élève 2: Pardon, tu es d'où?

1. Je suis de Nice.   3. Je suis de Lille.
2. Je suis d'Antibes.   4. Je suis de Strasbourg.

C Je suis… Donnez des réponses personnelles. *(Give your own answers.)*

1. Je suis ___ *(name)*.   3. Je suis ___ *(nationality)*.
2. Je suis de ___ *(place)*.   4. Je suis ___ *(occupation)*.

D Une interview. Posez des questions à un(e) ami(e). *(Ask a friend the following questions.)*

1. Tu es français(e) ou américain(e)?
2. Tu es de quelle ville? De New York? De Chicago?
3. Tu es élève dans une école secondaire?
4. Tu es impatient(e) ou patient(e)?

E Jean-Paul. Voici une photo de Jean-Paul Tonone. Il est de Nîmes. Posez des questions à Jean-Paul d'après le modèle. *(Ask Jean-Paul questions following the model. Your partner will answer for him.)*

> français
> Élève 1: Jean-Paul, tu es français?
> Élève 2: Oui, je suis français.

1. élève
2. de Nîmes
3. élève dans un lycée à Nîmes
4. content
5. intelligent

F Germaine. Voici une photo de Germaine LeBlanc. Décrivez-la d'après les indications. *(Here's a photo of Germaine LeBlanc. Describe her using the following cues.)*

1. canadienne
2. blonde
3. sympathique
4. de Québec
5. étudiante universitaire à Québec

G **Luc Delacourt.** Complétez. *(Complete.)*

Voici Luc Delacourt. Il ___ français. Il ___ de Lyon. Moi aussi, je ___ de Lyon.
                          1   2   3
Lyon ___ une ville importante en France. Luc ___ élève dans un lycée à Lyon.
        4   5
Le lycée ___ assez grand. Et toi? Tu ___ français(e) ou américain(e)? Tu ___
          6   7   8
de quelle ville? Tu ___ élève dans une école secondaire? L'école ___ petite?
                      9   10

La négation   *Making a Sentence Negative*

1. The sentences in the first column are affirmative and the sentences in the second column are negative.

AFFIRMATIF	NÉGATIF
Je suis américain.	**Je** *ne* **suis** *pas* **français.**
Tu es sympathique.	**Tu** *n'***es** *pas* **antipathique.**
Il est aimable.	**Il** *n'***est** *pas* **désagréable.**
Elle est de Lyon.	**Elle** *n'***est** *pas* **de Paris.**

> *ne* + verb + *pas*

2. You place *ne* before the verb and *pas* after the verb.
   Ne becomes *n'* before a vowel. This is called elision.

   Il est américain?   Non, il *n'*est *pas* américain.

Exercices

A **Non, Marie-France n'est pas américaine.** Mettez à la forme négative.
(Change to the negative.)

1. Marie-France est américaine.
2. Elle est de San Francisco.
3. Elle est élève dans une école secondaire à San Francisco.
4. Et moi, je suis français(e).
5. Je suis de Paris.
6. Je suis élève dans un lycée à Paris.

B **Tu es français(e)?** Donnez des réponses personnelles. *(Give your own answers.)*

1. Tu es français(e)?
2. Tu es de Lyon?
3. Tu es élève dans un lycée célèbre à Lyon?
4. Tu es très, très désagréable?
5. Tu es l'ami(e) de Claudine Simonet?

CONVERSATION

Scènes de la vie *Tu es d'où?*

CHRISTIAN: Bonjour.
CAROLE: Bonjour.
CHRISTIAN: Tu es Carole, n'est-ce pas?
CAROLE: Oui, je suis Carole Winters. Et tu es l'ami français de Stéphanie, n'est-ce pas?
CHRISTIAN: Oui, je suis Christian.
CAROLE: Tu es de Paris, Christian?
CHRISTIAN: Non, je ne suis pas de Paris. Je suis de Nice, sur la Côte d'Azur.
CAROLE: La Côte d'Azur? Oh, là, là! C'est fantastique ça!

A **Christian est niçois.** Répondez d'après la conversation. (*Answer according to the conversation.*)

1. Qui est américain?
2. Qui est français?
3. Qui est l'amie de Christian?
4. Christian est de quelle ville?
5. Où est Nice?
6. Comment est la Côte d'Azur?

La Côte d'Azur

Prononciation *L'accent tonique*

1. In English, you stress certain syllables more than others. In French you pronounce each syllable evenly. Compare the following.

fantastic	**fantastique**	popular	**populaire**
timid	**timide**	impatient	**impatient**

2. Repeat the following sentence. Notice how each word is linked to the next so that the sentence sounds like one long word.

   Élisabeth est l'amie de Nathalie.

Activités de communication orale

A **Un élève français.**   You've just met Laurent Dumas (your partner), an exchange student from Toulouse. You strike up a conversation with him.

1. Greet him and tell him who you are.
2. You think you know who he is, but ask him anyway.
3. Ask him where he's from.

B **Le café Rive Gauche.**   You are at a café near Notre-Dame Cathedral in Paris. A student at the next table strikes up a conversation with you. Answer her questions.

1. Bonjour.
2. Tu es des États-Unis, n'est-ce pas?
3. Tu es d'où?

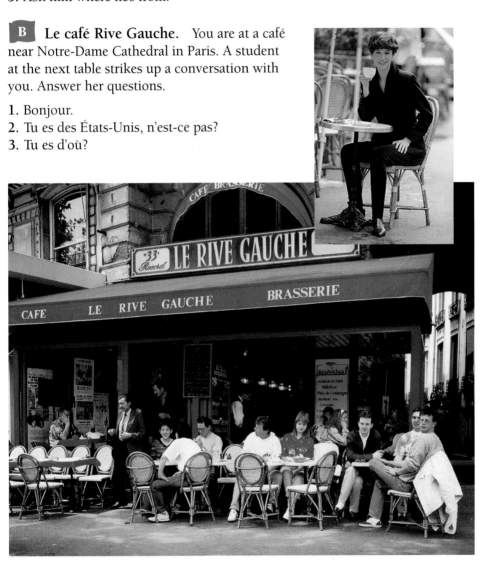

C **Il/Elle est intéressant(e) ou pas?**   Describe someone to a classmate. He or she will say whether the person is interesting or not.

UN PARISIEN ET UNE PROVENÇALE

Jacques Poulain est français. Il est de Paris, la capitale de la France. Jacques est un garçon intelligent. Il est très sympathique aussi. Il est élève dans un lycée à Paris, le Lycée Henri IV. Le Lycée Henri IV est très célèbre. C'est un lycée excellent.

Chantal Lévêque est française aussi. Mais Chantal n'est pas de Paris. Elle est d'Èze, un petit village pittoresque sur la Côte d'Azur. Elle est élève dans un lycée à Nice. Chantal est une amie de Jacques. Maintenant[1] Jacques est en vacances à Èze.

[1] Maintenant *Now*

Èze Village

Étude de mots

A **Le français, c'est facile.** Trouvez au moins trois mots apparentés dans la lecture. (*Find at least three cognates in the reading.*)

B **C'est quel mot?** Trouvez la définition. (*Find the definition.*)

la capitale   la Côte d'Azur   un lycée   un village

1. une école secondaire française
2. une région de la France sur la mer Méditerranée
3. la ville principale d'une nation, où le gouvernement est situé
4. une très petite ville dans une zone rurale

Compréhension

C **C'est Jacques ou Chantal?** Décidez. (*Decide if it's Jacques or Chantal.*)

1. Elle/Il est de Paris.
2. Elle/Il est de la capitale.
3. Elle/Il est de la Côte d'Azur.
4. Elle/Il est d'un petit village pittoresque.
5. Elle/Il est d'Èze.

D À Paris et à Èze. Répondez. *(Answer.)*

1. Jacques est élève dans quel lycée?
2. Comment est le Lycée Henri IV?
3. Qui est d'Èze?
4. Où est Èze?
5. Èze est grand ou petit?
6. Qui est un ami de Chantal?
7. Où est Jacques maintenant?
8. Il est en vacances à Èze?

E Des faits. Trouvez les renseignements suivants dans la lecture. *(Find the following information in the reading.)*

1. the capital of France
2. a famous *lycée* in Paris
3. a small town on the French Riviera

F Un peu de géographie. Trouvez les lieux suivants. *(Locate the following places on the map of France on page 237.)*

1. Paris
2. la Seine
3. la Côte d'Azur
4. Nice
5. la mer Méditerranée

DÉCOUVERTE CULTURELLE

AUX ÉTATS-UNIS	EN FRANCE
L'éducation est obligatoire.	L'éducation est obligatoire.
l'école primaire ou «élémentaire»	l'école primaire
l'école «intermédiaire»	le collège
l'école secondaire	le lycée
l'université	l'université

Point essentiel! En France le collège et le lycée sont des écoles secondaires.
Un collège en France n'est pas une université.

Voici Gilbert Bertrand **1**. Il est de Strasbourg, une ville française importante. Gilbert est élève dans un lycée. Gilbert est aimable ou désagréable?

Salut. Je suis Anne André **2**. Je suis de Schœlcher, un petit village martiniquais. La Martinique est une île dans la mer des Caraïbes. Je suis élève au Lycée Bellevue à Fort-de-France, la capitale. La Martinique est un département français d'outre-mer.

Voici Karim Ashour **3**. Il est de Tunis, la capitale de la Tunisie. La Tunisie est un pays en Afrique du Nord.

Bonjour. Moi, je suis Yvonne Senghor **4**. Je suis d'Abidjan. Abidjan est la ville principale de la Côte d'Ivoire. La Côte d'Ivoire est un pays africain francophone.

Bonjour. Je suis Raymond LeClerc **5**. Je suis canadien. Je suis étudiant à l'Université Laval à Québec.

Tiare Teuira est de Bora Bora, une île volcanique en Polynésie française **6**. La Polynésie française est dans le Pacifique Sud. Tiare Teuira est sympathique?

4

5

6

33

CULMINATION

Activités de communication orale

A **Roissy-Charles-de-Gaulle.** You are going through Immigration at the Roissy-Charles-de-Gaulle Airport on the outskirts of Paris. Give the immigration officer the following information.

1. your nationality
2. your occupation
3. where you are from in the U.S.

B **Mireille Gaudin.** Here's a photo of Mireille Gaudin. She's a French student from Cannes, which is near Nice. Describe Mireille and say as much about her as you can.

C **Un(e) élève français(e).** You've just met a French student (your partner) who's visiting the U.S. Ask him or her some questions using the following words.

d'où
grande ville ou petite ville
élève
lycée

Nice, Côte d'Azur

Activités de communication écrite

A **Qui est-ce?** Write down four things about yourself on a piece of paper. Your teacher will collect everyone's descriptions and have students read them to the class. You'll all try to guess who's being described.

> **Je suis blond. Je ne suis pas brun.**
> **Je suis très amusant et très populaire.**
>
> **Qui est-ce? C'est ___ .**

B **Une lettre.** You have a new pen pal in France. She just sent you this photo and you want to answer her immediately—in French, of course! Write and tell her who you are, your nationality, where you're from, and where you're a student. Give her a brief description of yourself and be sure to include your photo.

Le - septembre, 199-

Chère Sophie,

Je suis...

Bien amicalement,

Vocabulaire

NOMS
le frère
la sœur
l'ami (m.)
l'amie (f.)
l'élève (m. et f.)
l'école (f.)
le lycée

ADJECTIFS
aimable
amusant(e)
comique
célèbre

confiant(e)
content(e)
désagréable
énergique
fantastique
patient(e)
impatient(e)
intelligent(e)
intéressant(e)
populaire
sincère
sympathique
antipathique
timide

grand(e)
petit(e)
brun(e)
blond(e)
français(e)
américain(e)

AUTRES MOTS ET EXPRESSIONS
aussi
moi
n'est-ce pas
ou
voici

CHAPITRE 2

LES COPAINS ET LES COURS

OBJECTIFS

In this chapter you will learn to do the following:

1. describe people and things
2. talk to people formally or informally
3. tell what subjects you take and indicate whether you find them difficult or easy
4. tell what classes you have on different days of the week
5. ask yes or no questions
6. tell time
7. tell time using the 24-hour system

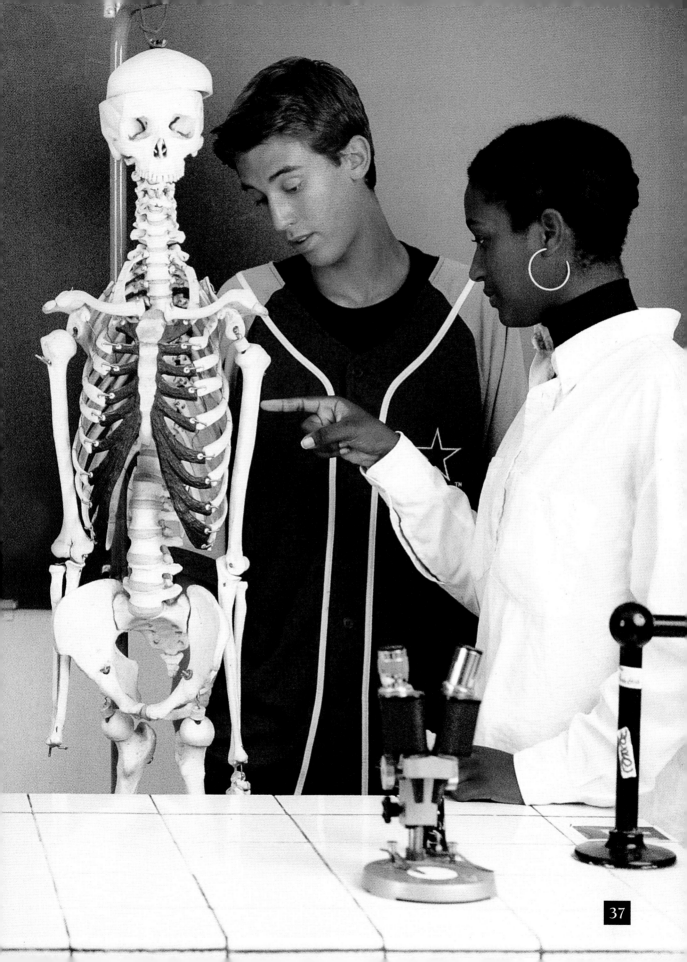

VOCABULAIRE

MOTS 1

les professeurs (les profs)

un homme

une femme

les élèves

Anne   Lise   Guy   Alain

brunes
françaises

bruns
français

les amies = les copines   les amis = les copains

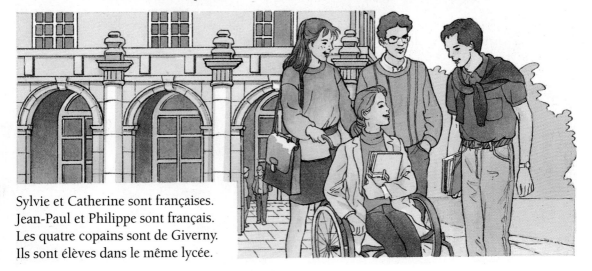

Sylvie et Catherine sont françaises.
Jean-Paul et Philippe sont français.
Les quatre copains sont de Giverny.
Ils sont élèves dans le même lycée.

la salle de classe

le cours

la classe

Bonjour! Nous sommes élèves dans la classe de Monsieur Bétancourt.
M. Bétancourt est le prof de français.
Maintenant, nous sommes dans la salle de classe 21.

facile

difficile

Le cours de français est très facile.
Mais le cours d'anglais est vraiment difficile.
Tu es d'accord ou pas?

Exercices

A **Sylvie et Catherine.**   Répondez. *(Answer.)*

1. Qui sont les deux amies?
2. Elles sont françaises ou américaines?
3. Elles sont de Paris?
4. Elles sont élèves dans un lycée ou étudiantes à l'université?
5. Elles sont élèves dans le même lycée à Giverny?

B **Jean-Paul et Philippe.**   Répondez. *(Answer.)*

1. Jean-Paul et Philippe sont copains?
2. Les deux copains sont contents?
3. Jean-Paul et Philippe sont lycéens (élèves dans un lycée)?
4. Ils sont élèves dans le même lycée?
5. Le lycée est à Paris?
6. Le lycée est à Giverny?

C **Le cours de français.**   Donnez des réponses personnelles. *(Give your own answers.)*

1. Qui est le prof ou la prof de français?
2. Le professeur est un homme ou une femme?
3. Il/Elle est sympa?
4. Le cours de français est difficile ou facile?
5. Les élèves sont en classe maintenant?
6. Le cours de français est intéressant?

D **Des mots.**   Trouvez les mots qui correspondent. *(Find the corresponding word or phrase.)*

1. français   a. la copine
2. l'amie   b. l'étudiant, l'écolier
3. l'élève   c. de France
4. brun   d. le copain
5. l'ami   e. le professeur
6. le prof   f. le contraire de blond

Le professeur explique comment utiliser l'ordinateur.

VOCABULAIRE

MOTS 2

LES MATIÈRES (f.)

Les sciences (f.)

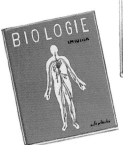

la chimie

la biologie

la physique

Les maths (f.)

la géométrie

l'algèbre (f.)

la trigonométrie

Les langues (f.)

l'anglais (m.)

l'espagnol (m.)

le latin

le français

D'autres cours (m.)

la géographie

l'art (m.)

la gymnastique

la musique

la littérature

l'histoire (f.)

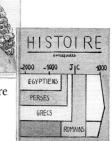

l'informatique (f.)

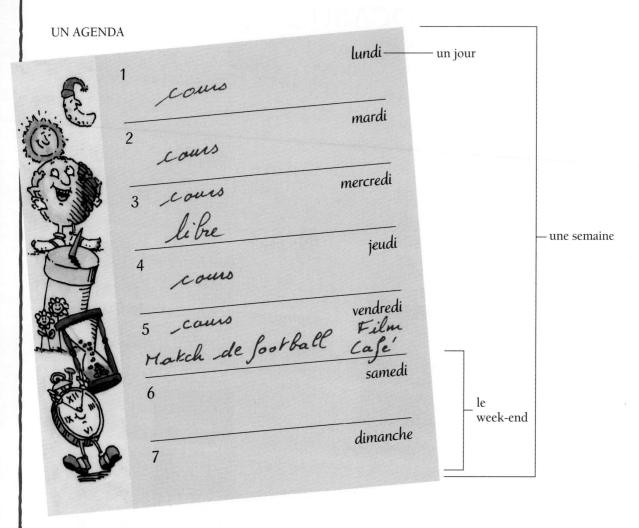

lundi —— un jour

1 _cours_

mardi

2 _cours_

mercredi

3 _cours_

libre

jeudi

4 _cours_

vendredi

5 _cours_ _Film_ _Café_

Match de football

samedi

6

dimanche

7

— une semaine

le week-end

C'est quel jour, aujourd'hui? C'est lundi.
Et demain? Demain, c'est mardi.

Voilà l'agenda de Jean-Paul.
Il est très occupé vendredi, n'est-ce pas?
Mais samedi et dimanche, il n'est pas occupé. Il est libre.

Note: *Vendredi* means "on Friday." *Le vendredi* means "every Friday" or
"on Fridays."

On the right are some informal words in
French which you may use to describe
people and things.

Note that *terrible* can have either a positive
or a negative meaning, depending on the
tone of voice or intonation.

POSITIF	NÉGATIF
chouette super-chouette terrible extra super	moche terrible

Exercices

A C'est quel cours? Identifiez le cours. *(Identify the course.)*

> Un problème, une solution, une équation—c'est quel cours?
> *C'est le cours d'algèbre.*

1. la littérature, la composition, la grammaire
2. la conversation, la culture française
3. un poème, une pièce de théâtre, une fable
4. un microbe, un animal, une plante, un microscope
5. un cercle, un rectangle, un triangle, un parallèlogramme
6. un piano, un violon, un concert, un opéra
7. les montagnes, les villes, les villages, les capitales, les océans, les produits agricoles
8. le gouvernement, les partis politiques, l'État, la communauté
9. la peinture, la statue, la sculpture, les artistes célèbres
10. une disquette, un moniteur, un bit, un microprocesseur

B C'est quel jour? Répondez. *(Answer.)*

> Aujourd'hui, c'est lundi. Et demain?
> *Demain, c'est mardi.*

1. Aujourd'hui, c'est mercredi. Et demain?
2. Aujourd'hui, c'est vendredi. Et demain?
3. Aujourd'hui, c'est samedi. Et demain?
4. Aujourd'hui, c'est mardi. Et demain?
5. Aujourd'hui, c'est dimanche. Et demain?
6. Aujourd'hui, c'est jeudi. Et demain?
7. Aujourd'hui, c'est lundi. Et demain?

C L'emploi du temps de David. Répondez d'après l'emploi du temps de David. *(Answer according to David's schedule.)*

> le cours de maths
> *Le cours de maths est le lundi, le mercredi et le vendredi.*

1. le cours d'anglais
2. le cours de physique
3. le cours de latin
4. le cours de musique
5. le cours de français
6. le cours d'éducation civique

	Lundi	Mardi	Mercredi	Jeudi	Vendredi
8h–8h30		Sc. Nat	MATH	PHYSIQUE	MATH
8h30–9h30	HIST/GÉO		ED. CIVIQUE	ANGLAIS	HIST/GÉO
9h30–10h30	MATH	ALLEMAND	1er / 2e SEMESTRE SEMESTRE	MUSIQUE	
10h30–11h30	INFOR- MATIQUE	ANGLAIS	E.P.S. / DESSIN	ALLEMAND	E.P.S.
11h30–12h30		LATIN			
12h30–13h					
13h30–14h	FRANÇAIS	HIST/GÉO		FRANÇAIS	LATIN
14h–15h				LATIN	
15h–16h	ALLEMAND	FRANÇAIS		FRANÇAIS	
16h–17h	ANGLAIS				
17h–18h					

Activités de communication orale

Mots 1 et 2

A **La classe de Mme Martin.** Make up a few true or false statements about the illustration. Your partner will either agree with your statement or correct it.

> Élève 1: Les élèves sont dans la classe de Monsieur Laurent.
> Élève 2: Non, ils sont dans la classe de Madame Martin.
>   (Oui, je suis d'accord.)

B **Mon prof favori.** Describe your favorite teacher to a classmate.

> M. Jones est le prof de biologie. Il est…

C **À ton avis.** Make a chart like the one below. List all your classes and rate them—*pas difficile, assez difficile, très difficile.* Compare your chart with a classmate's and see whether the two of you agree or not.

> Élève 1: Pour moi, le français est facile. Tu es d'accord?
> Élève 2: Oui, je suis d'accord. (Non, je ne suis pas d'accord. Pour moi, le français est très difficile.)

COURS	Pas difficile	Assez difficile	Très difficile
l'anglais	x	x	x
le français	x	x	

STRUCTURE

Le pluriel: Articles et noms

Talking About More than One Person or Thing

1. Plural means more than one. To make most nouns plural in French, you add *s*, as you do in English. You do not pronounce this final *s*. If the noun ends in *s* in the singular, you do not add another *s* in the plural.

2. The plural form of the definite articles *le, la, l'* is *les*. You do not pronounce the *s* of *les* when it is followed by a consonant. When *les* is followed by a vowel or silent *h*, you pronounce the *s* like a *z*, connecting the sound to the next word. This is called "liaison."

SINGULIER	PLURIEL
le garçon	les garçons
le cours	les cours
la fille	les filles
la classe	les classes
l'amie	les amies
l'élève	les élèves

Exercice

A **Tous les deux.** Mettez au pluriel. *(Give the plural.)*

Le garçon est blond.
Les garçons sont blonds.

1. La fille est blonde.
   ___ sont blondes.

2. Le garçon est brun.
   ___ sont bruns.

3. Le professeur est intelligent.
   ___ sont intelligents.

4. Le cours est difficile.
   ___ sont difficiles.

5. Le livre est intéressant.
   ___ sont intéressants.

6. La classe de M. Dupont est petite.
   ___ de M. Dupont sont petites.

7. L'ami de Paul est sympathique?
   ___ de Paul sont sympathiques?

8. La copine de Marie est très amusante.
   ___ de Marie sont très amusantes.

9. L'élève de M. Bétancourt est vraiment intelligent.
   ___ de M. Bétancourt sont vraiment intelligents.

10. L'amie de Sophie est très populaire.
    ___ de Sophie sont très populaires.

Le verbe *être* au pluriel

Talking About More than One Person or Thing; Asking Yes-or-No Questions

You have already learned the singular forms of the verb *être*, "to be." Now study the plural forms of *être*.

SINGULIER	PLURIEL
je suis	nous sommes
tu es	vous êtes
il/elle est	ils/elles sont

1. You use *nous* when referring to yourself and other people.

Nous sommes français.

2. You use *vous* when talking to two or more people.

Vous êtes américains?

Non, nous sommes français.

3. You use *elles* when referring to two or more females.

Elles sont très amusantes.

4. You use *ils* when referring to two or more males or when referring to a group of males and females.

5. You also use *ils* and *elles* when referring to things.

Les stylos sont sur la table.   Ils sont sur la table.
Les chaises sont dans la salle 21.   Elles sont dans la salle 21.

6. Note that in order to form a yes-or-no question, you can raise the tone of your voice at the end of the statement or put *est-ce que* in front of the statement. *Est-ce que* becomes *est-ce qu'* in front of a vowel.

Vous êtes français?   Est-ce que vous êtes français?
Il est américain?   Est-ce qu'il est américain?

Exercices

A   **Le cours d'histoire.**   Répondez d'après le modèle en utilisant «il(s)» ou «elle(s)». *(Answer with* il[s] *or* elle[s] *according to the model.)*

> Est-ce que les garçons sont derrière les filles?
> *Oui, ils sont derrière les filles.*

1. Est-ce que la prof est devant la classe?
2. Est-ce que Paul est devant Monique?
3. Les élèves sont intelligents?
4. Les filles sont sympathiques?
5. Est-ce que Paul et Pierre sont copains?
6. Est-ce que Monique et Paul sont amis?
7. Monique et Marie sont brunes?
8. Est-ce que les quatre copains sont dans le même cours?

B Vous êtes d'où? Répétez la conversation. (*Practice the conversation.*)

LES FILLES: Vous êtes d'où?
LES GARÇONS: Nous? Nous sommes de New York.
LES FILLES: Ah, alors vous êtes américains?
LES GARÇONS: Oui, nous sommes américains. Et vous?
LES FILLES: Nous sommes françaises. Nous sommes de Grenoble.

Complétez d'après la conversation. (*Complete according to the conversation.*)

1. Les deux garçons ___ américains.
2. Ils ne ___ pas de Chicago.
3. Ils ___ de New York.
4. New York ___ une très grande ville américaine.
5. Les deux filles ne ___ pas américaines.
6. Elles ___ françaises.
7. Elles ___ de Grenoble.
8. Grenoble ___ une grande ville française.

C À votre tour. Répondez en utilisant «nous». (*Answer with* nous.)

1. Vous êtes américains?
2. Vous êtes de quelle ville?
3. Vous êtes élèves?
4. Vous êtes élèves dans une école secondaire?
5. Vous êtes très intelligents?
6. Vous êtes maintenant dans la classe de quel professeur?

D L'ami de Christophe. Complétez avec «être». (*Complete with* être.)

Je ___₁ un ami de Christophe. Christophe ___₂ très sympa et très amusant. Nous ___₃ français, Christophe et moi. Nous ___₄ de Cancale, un petit village breton (en Bretagne). Cancale ___₅ vraiment très pittoresque.

Nous ___₆ élèves dans un lycée. Où ___₇ le lycée? À Dinard. Nous ___₈ élèves d'anglais. Mademoiselle Fielding ___₉ la prof d'anglais. Elle ___₁₀ anglaise. Elle ___₁₁ de Liverpool. Le cours d'anglais ___₁₂ assez difficile. Mais les élèves dans la classe de Mademoiselle Fielding ___₁₃ très intelligents.

E Et vous? Complétez avec «être». (*Complete with* être.)

1. Et vous? Vous ___ américains, n'est-ce pas?
2. Vous ___ élèves dans une école secondaire?
3. Vous ___ maintenant dans quel cours?
4. Qui ___ le professeur?
5. Les élèves ___ intelligents?
6. Pour vous, le cours ___ facile ou difficile?

Cancale, en Bretagne

Vous et tu

Talking to People Formally or Informally

As you already know, in French there are two ways to say "you:" *tu* and *vous*.

1. You use *tu* when talking to one friend, one person your own age, or to a family member.

2. You use *vous* when talking to two or more people.

3. You also use *vous* when talking to an older person, a person whom you do not know well, or to anyone to whom you wish to show respect.

Exercices

A **Ils sont français?** Regardez les photos et posez la question en utilisant «tu» ou «vous». (*Ask the people in each of the pictures if they are French.*)

Tu es français?

1.

2.

3.

4.

5.

6.

B **Tu ou vous?** Posez la même question. (*Ask the following people in your class if they are French.*)

un élève
Tu es français?

1. le professeur
2. la personne devant vous
3. la personne derrière vous
4. une fille
5. deux garçons

L'accord des adjectifs au pluriel   *Describing More Than One Person or Thing*

1. When a noun is in the plural, any adjective that describes or modifies the noun must also be in the plural. Study the following sentences.

> **Les deux filles sont américaine<u>s</u>.**
> **Les deux filles sont sympathique<u>s</u>.**
> **Les classes sont petite<u>s</u>.**

> **Les garçons aussi sont américain<u>s</u>.**
> **Les garçons aussi sont très sympathique<u>s</u>.**
> **Les livres sont intéressant<u>s</u>.**

2. To form the plural of most French adjectives, you add s to the singular masculine or feminine form of the adjective. This s is not pronounced.

3. If a singular adjective ends in s, you do not add another s to the plural form.

> Le garçon est français.
> Les garçons sont français.

Exercices

A **Érica et Brigitte.**   Décrivez les deux filles. (*Describe the two girls.*)

> populaire
> *Érica et Brigitte sont populaires.*

1. français
2. timide
3. brun
4. énergique
5. américain

B **Jean-François et Yann.**   Décrivez les deux garçons. (*Describe the two boys.*)

> intéressant
> *Jean-François et Yann sont intéressants.*

1. français
2. américain
3. brun
4. musclé
5. content

C **Luc et Anne.**   Récrivez le paragraphe d'après le modèle. (*Rewrite the paragraph according to the model.*)

> Sophie et Marie sont françaises.
> *Luc et Anne sont français.*

Sophie et Marie sont élèves dans un lycée à Paris. Les deux amies sont très amusantes. Elles sont aussi très énergiques. Maintenant elles sont en vacances. Elles sont à Nice. C'est chouette ça, des vacances à Nice. Vous n'êtes pas d'accord?

1. Observe the following examples of how to tell time.

Il est une heure.

Il est deux heures.

Il est trois heures.

Il est sept heures dix.

Il est huit heures vingt-cinq.

Il est neuf heures moins dix.

Il est dix heures moins cinq.

Il est quatre heures et quart.

Il est cinq heures moins le quart.

Il est six heures et demie.

Il est midi.

Il est minuit.

2. To indicate a.m. and p.m. in French, you use the following expressions.

Il est cinq heures du matin.

Il est trois heures de l'après-midi.

Il est onze heures du soir.

3. Note the way times are abbreviated in French.

> 9h30   neuf heures et demie
> 11h15   onze heures et quart
> 3h45   quatre heures moins le quart

4. To ask what time it is, you say: **Il est quelle heure?**
   A more formal way to ask the time is: **Quelle heure est-il?**

5. Note how to ask and tell what time something (such as French class) takes place.

> **Le cours de français est *à* quelle heure?**
> **Le cours de français est *à* neuf heures.**

6. Note how to give the duration of an event (to indicate from when until when).

> **Le cours de français est *de***
> **neuf heures *à* dix heures.**

Exercices

A **Il est quelle heure?** Répondez d'après le modèle. (*Answer according to the model.*)

> 2h
> Élève 1: Il est quelle heure?
> Élève 2: Il est deux heures.

1. 9h   3. 5h10   5. 7h55   7. 10h25   9. 6h40   11. 1h30
2. 3h35   4. 8h15   6. 12h ☀   8. 9h45   10. 2h05   12. 12h30 ☽

B **Quand?** Posez les questions suivantes à un copain ou une copine. (*Ask a classmate the following questions. Then reverse roles.*)

1. Il est quelle heure maintenant?
2. Le cours de français est à quelle heure?
3. Le cours de maths est à quelle heure?
4. Le cours d'anglais est le matin ou l'après-midi?
5. Le cours d'histoire est le matin ou l'après-midi?

C **À quelle heure sont les cours?** Répondez. (*Tell when four of your classes begin and end.*)

> **Le cours d'anglais est de dix heures et quart à onze heures.**

CONVERSATION

Scènes de la vie *Vous êtes de quelle nationalité?*

SYLVIE: Vous êtes américains?
MARK: Oui, nous sommes américains. Et vous, vous êtes françaises, n'est-ce pas?
CATHERINE: Oui, nous sommes de Nice.
DAVID: Nice? C'est où ça?
SYLVIE: Sur la mer Méditerranée.
MARK: Nice est une grande ville ou une petite ville?
CATHERINE: C'est une assez grande ville sur la Côte d'Azur.
SYLVIE: Et vous, vous êtes d'où?
DAVID: Nous sommes de Los Angeles.
CATHERINE: Los Angeles! C'est chouette, ça!

A **Nice et Los Angeles.** Répondez d'après la conversation. (*Answer according to the conversation.*)

1. D'où sont les Américains?
2. Et les Françaises?
3. Où est Nice?
4. Nice est une grande ville ou une petite ville?
5. Et Los Angeles?

l'art

Prononciation *Les consonnes finales*

1. In French, you do not usually pronounce the final consonant you see at the end of words. Repeat the following.

   salut   devant   maintenant   un restaurant   l'anglais

2. In the same way, you do not pronounce the final s you add to a word to make it plural. This is why a singular noun and its plural sound alike. Repeat the following.

   le copain   les copains   le livre   les livres   la fille   les filles

   Les garçons et les filles sont devant le restaurant.
   Ils sont impatients.

Activités de communication orale

A **Aux États-Unis.** You and your partner are French students visiting the U.S. Ask two other students for the following information, then reverse roles.

1. their nationality
2. where they're from
3. if it's a large city or a small town
4. if they're high school students
5. if classes are easy or difficult
6. what the teachers are like
7. what the students are like

B **«Mieux vaut tard que jamais».** Anne's philosophy is "Better late than never," but she's trying hard to be more punctual. With a partner, compare her arrival times with her schedule and tell if she's on time (*à l'heure*), late (*en retard*), or early (*en avance*).

(7. le dentiste)
Anne arrive à: 4h

Élève 1: Il est quelle heure?
Élève 2: Il est quatre heures.
Élève 1: Anne est en avance.

Anne arrive à:

1. 8h05	6. 3h20
2. 9h13	7. 4h30
3. 10h10	8. 6h30
4. 12h	9. 9h
5. 12h47	

1. *le cours de français*	*8h*
2. *le cours de maths*	*9h15*
3. *la récréation*	*10h10*
4. *la cantine/cafétéria*	*12h*
5. *le cours de biologie*	*12h45*
6. *le tennis*	*3h15*
7. *le dentiste*	*4h15*
8. *le dîner*	*6h30*
9. *un programme à la télé*	*8h55*

LECTURE ET CULTURE

UNE LETTRE

Antibes, le 15 juillet

Chers amis,

Salut! Je suis Christian Capet. Je suis de Saint-Germain-en-Laye. Saint-Germain-en-Laye est une petite ville près de[1] Paris, dans la banlieue.[2] Je suis élève dans un lycée. Mais maintenant je ne suis pas à Saint-Germain. Je suis à Antibes avec la famille de Gilbert Berthollet. Gilbert et moi, nous sommes copains. Nous sommes élèves dans le même lycée. Et nous sommes dans le même cours d'anglais. Le prof d'anglais est très sympa, mais l'anglais, ce n'est pas très facile. Mais maintenant, pas de profs, pas de classes! Nous sommes libres! Nous sommes en vacances à Antibes. Antibes est une petite ville très pittoresque sur la Côte d'Azur. Pour moi les vacances, c'est toujours extra. Vous êtes d'accord?

Affectueusement,
Christian

---

[1] près de   *near*   [2] dans la banlieue   *in the suburbs*

Étude de mots

A **Quel est le mot?** Trouvez les mots qui correspondent. (*Find the corresponding word or phrase.*)

1. Bonjour!
2. super
3. pas difficile
4. une langue
5. pas différent
6. période de temps libre
7. une petite ville près d'une grande ville

a. l'anglais
b. la banlieue
c. extra
d. facile
e. le même
f. Salut!
g. les vacances

Antibes: La vieille ville

Compréhension

B **Vous avez compris?** Répondez d'après la lecture. (*Answer according to the reading.*)

1. D'où est Christian?
2. Où est Saint-Germain-en-Laye?
3. Où est Christian maintenant?
4. Il est à Antibes avec qui?
5. Les deux garçons sont copains?
6. Ils sont dans le même cours d'anglais?
7. Comment est le prof d'anglais?
8. Le cours d'anglais est facile ou difficile?
9. Les deux copains sont en vacances? Où?

C **Un peu de géographie.** Oui ou non? (*Answer "yes" or "no."*)

1. Saint-Germain-en-Laye est dans la banlieue parisienne.
2. Antibes est aussi dans la banlieue parisienne.
3. Les villages et les villes de la Côte d'Azur sont très agréables pour les vacances.

DÉCOUVERTE CULTURELLE

LES 24 HEURES ET LE DÉCALAGE HORAIRE

DANS LA CONVERSATION	SUR LES HORAIRES
huit heures du matin	8h (huit heures)
deux heures de l'après-midi	14h (quatorze heures)
quatre heures et demie de l'après-midi	16h30 (seize heures trente)
dix heures et quart du soir	22h15 (vingt-deux heures quinze)

L'heure n'est pas la même partout. À New York il est midi. À Paris il est dix-huit heures. La différence entre l'heure de New York et l'heure de Paris (le décalage horaire) est de six heures. Il est midi à Paris. Quelle heure est-il à New York? Il est neuf heures à San Francisco. Quelle heure est-il à New York?

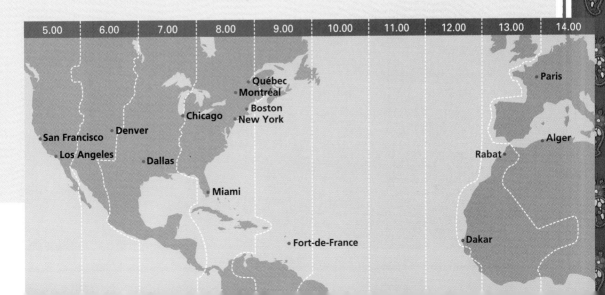

RÉALITÉS

2

Bonjour **1**. Nous sommes Béatrice, Nathalie, Gilles et Christian. Nous sommes tous français. Nous sommes de Giverny. Giverny n'est pas très loin de Paris, mais ce n'est pas dans la banlieue parisienne comme Saint-Germain-en-Laye. Giverny est un village très pittoresque.

Voici le jardin de Claude Monet, un peintre français célèbre **2**. Le jardin de Monet est à Giverny. Monet peint beaucoup de tableaux de son jardin.

Bonjour **3**. Je suis Maeva. Je suis de Papeete, une ville sur l'île de Tahiti. Tahiti est une île de la Polynésie française, un territoire français d'outre-mer.

Voici un tableau de Paul Gauguin **4**. Gauguin, comme Monet, est un peintre français célèbre. Le tableau représente une scène de la vie en Polynésie française. Gauguin est considéré comme un des initiateurs de la peinture moderne.

Activités de communication orale

A **Roissy-Charles-de-Gaulle.** You and your friend Suzanne have just arrived at Roissy-Charles-de-Gaulle Airport on the outskirts of Paris. Since she doesn't speak French, answer the immigration officer's questions for both of you.

1. Vous êtes de quelle nationalité?
2. Vous êtes d'où?
3. Vous êtes en vacances?

B **Mes programmes favoris.**

1. Name a few TV shows you watch.
2. Give the time and day each program is on.
3. Give your opinion of each show.
4. Ask a classmate if he or she agrees with you.

Samedi 16 Novembre

9.50 La5 10.20
Les animaux du soleil
Documentaire français. Rediffusion. Rives de Cunene.

10.00

10.00 M6 10.05 Infoprix

10.05 M6 10.30
M6 Boutique
Présentation : Pierre Dhostel et Julie.

10.20 La5 10.55
Chevaux et casaques
Magazine de Patrice Dominguez et Jean-Louis Burgat. Présentation : Caroline Avon.
Sauts d'obstacles à Auteuil.

10.30 FR3 12.00
Espace 3 entreprises
11.50 L'homme du jour.

10.30 M6 12.00 Multitop
Présentation : Laurent Petitguillaume.

10.35 C+ 10.40
Journal du cinéma

10.40 C+ 12.30
T Susie et les Baker Boys
Film américain de Steve Kloves (1989). 110 mn. Voir Tra 2182 page 111. La «vie d'artiste», calamiteuse, remarquablement décrite par un cinéaste doué et chaleureux. Les acteurs sont parfaits, l'actrice, une révélation : Michelle Pfeiffer, éclatante. Rediffusions : mardi 19 à 13.35, samedi 23 en v.o à 0.35.

à la recherche d'un mode de garde pour son enfant. La crèche modèle de Lille. L'adaptation et les problèmes d'infection dans les crèches. Les livres et les objets transitionnels des enfants. Question aux enfants : «Est-ce que tu es content que tes parents travaillent ?»

10.55 La5 11.50
Mille et une pattes
Magazine animalier. Présentation : Pierre Rousselet-Blanc et Pétra. Réalisation : P. Lumbroso. Invités : **André Pittion-Rossillon**, de la Société Centrale Canine, et **Claude Fargeon**, spécialiste du comportement animal. Gros plan : le dogue argentin. Reportages.

11.00

11.15 TF1 11.50
Auto moto
Magazine de Jacques Bonnecarrère.
Supercross à Bercy. L'essai de la Mazda MX3. Salon de Tokyo.

11.20 A2 11.45
Motus
Jeu. Présentation : Patrice Laffont.

11.45 A2 11.55
Flash infos

11.50 TF1 12.25
Tournez manège
Jeu de Noël Coutisson et Claude Savarit. Présentation : Evelyne Leclercq, Simone Garnier et Charly Oleg.

11.50 La5 11.55
TT Ecrire contre l'oubli

12.25 A2 12.50
T Le français tel qu'on le parle
Documentaire français de Pierre Nivollet.
A **Antananarivo**, capitale de l'île de Madagascar, on parle un français très coloré, un peu créole et souvent remarquable. Jean et sa femme Laura nous font visiter la ville, de l'école française au «zoma», le plus grand marché de «Tana». Ou quand la langue française facilite les rapports entre les gens et permet à certains de s'ouvrir sur le monde.

12.30 C++ 12.35
Flash infos

12.30 M6 13.00
Cosby show
Série américaine. Redif.

12.35 C++ 13.30
T 24 heures
Magazine d'Hervé Chabalier, Erik Gilbert, Claude Chelli.
Programme non communiqué.

12.45 La5 13.20
Journal

12.50 A2 13.00
1, 2, 3, théâtre
Reprise.

13.00

13.00 TF1 13.15
Journal

13.00 A2 13.25
Journal

13.00 M6 13.55
O'Hara
Série américaine.

13.15 TF1 13.50

13.30 C++ 13.35
Journal du cinéma

13.35 C+ 15.10
Désastre à la centrale 7
Téléfilm américain de Larry Elikann (1988). **Michael O'Keefe** : Le sergent Fitzgerald. **Perry King** : Le commandant Hicks. **Peter Boyle** : Le général Sanger. **Patricia Charbonneau** : Kathy Fitzgerald. Deux soldats maladroits endommagent un missile dans une base militaire du Texas. Adulé par les siens, le sergent Fitzgerald arrive sans se presser pour constater les dégats. Stupeur et terreur : le missile fuit et vrombit. Il risque d'exploser...

13.45 A2 14.15
T Objectif jeunes
Magazine de Raymond Tortora et du service éducation de la rédaction. Présentation : Dominique Laury et Philippe Lefait. Réalisation : Roger Gomez.
Etudier en Europe (Patrick Redslob). Grâce au programme «Erasmus», soixante mille étudiants, dont dix mille Français, fréquentent les universités d'Europe. Reportage à Grenoble II, qui accueille Anglais, Allemands, Hollandais... **Louvain-la-Neuve** (Marc Maisonneuve). L'université de Louvain, en Belgique, qui reçoit des étudiants d'Europe entière, est réputée pour ses filières Sciences

Activité de communication écrite

A Mon emploi du temps.   Make a chart like the one below and fill it out in French based on your weekly schedule. For each class give the time, the teacher, and your opinion of the teacher and the class itself.

Cours	Jours	Heure	Prof	Opinion: Prof	Opinion: Cours
anglais	le lundi le mardi le mercredi le vendredi	de 9h à 9h45	Mlle Shaw	assez intéressante	difficile

Vocabulaire

NOMS
le copain
la copine
le prof
la prof
le professeur
l'homme (m.)
la femme

la classe
la salle de classe
le cours
l'agenda (m.)
la matière
les maths (f.)
l'algèbre (f.)
la géométrie
la trigonométrie
l'informatique (f.)
les sciences (f.)
la biologie

la chimie
la physique
la littérature
la langue
le français
l'anglais (m.)
l'espagnol (m.)
le latin
l'histoire (f.)
la géographie
la musique
l'art (m.)
la gymnastique

le jour
lundi
mardi
mercredi
jeudi
vendredi
samedi

dimanche
aujourd'hui
demain
le week-end
la semaine
l'heure (f.)
midi
minuit
le matin
l'après-midi (m.)
le soir

ADJECTIFS
difficile
facile
chouette
extra
super
terrible
moche
libre

occupé(e)
même

VERBE
être

AUTRES MOTS
ET EXPRESSIONS
être d'accord
maintenant
vraiment

EN CLASSE ET APRÈS LES COURS

OBJECTIFS

In this chapter you will learn to do the following:

1. discuss what you do in school
2. describe some things you do with your friends after school
3. talk about people in general
4. express "some" or "not any"
5. tell what you or others like or don't like to do
6. tell which subjects are electives and which are required
7. compare school in the U.S. and in France

VOCABULAIRE

MOTS 1

une maison

une rue

habiter à Paris

quitter la maison

arriver

entrer

écouter

parler

étudier

travailler

regarder le
tableau noir

poser une question

passer un examen

Voici Paul Lafontaine.
Paul habite à Paris.
Il habite rue Saint-Dominique.

Il arrive à l'école à huit heures.

Il quitte l'école à cinq heures et il rentre à la maison.

Note: The expression *passer un examen* is a false cognate. A false cognate is a word that looks like an English word but means something different. *Passer un examen* means "to take an exam," not "to pass an exam."

Paul quitte la maison à sept heures et demie.

À huit heures et quart, il entre dans la salle de classe.

Quand est-ce que Paul étudie?
Paul étudie beaucoup le soir.

Exercices

A **À l'école le matin.** Répondez. (*Answer.*)

1. Est-ce que Paul habite à Paris?
2. Il habite rue Saint-Dominique?
3. Le matin, il quitte la maison à quelle heure?
4. Il arrive à l'école à quelle heure?
5. Il entre dans la salle de classe?
6. Le professeur est là?
7. Le professeur parle?
8. Paul écoute le professeur?
9. Paul regarde le tableau noir?
10. Il pose une question?
11. Il étudie le français?
12. Il passe un examen?
13. L'après-midi, il quitte l'école à quelle heure?
14. Il travaille beaucoup le soir?

L'Arc de Triomphe

B **Des expressions.** Trouvez les mots qui correspondent aux verbes. (*Find the words or phrases that correspond to the verbs.*)

1. parler
2. arriver
3. quitter
4. habiter
5. écouter
6. regarder
7. passer
8. entrer
9. poser
10. rentrer

a. avenue des Champs-Élysées
b. à l'école
c. français
d. le prof
e. anglais
f. la maison
g. à Paris
h. le tableau noir
i. quand le prof parle
j. dans la salle de classe
k. une question
l. un examen
m. à la maison

C **Le lycéen, Paul.** Choisissez la bonne réponse. (*Choose the correct answer.*)

1. Où habite Paul?
   a. À Paris.   **b.** Le matin.   **c.** À l'école.

2. Quand est-ce que Paul quitte la maison?
   a. Rue Saint-Dominique.   **b.** Le matin.   **c.** Avec un copain.

3. Où est-ce qu'il arrive?
   a. À huit heures.   **b.** À l'école.   **c.** Le matin.

4. Qui parle?
   a. Le prof.   **b.** La salle de classe.   **c.** Français.

5. Qui écoute quand le prof parle?
   a. Le prof.   **b.** La salle de classe.   **c.** La classe.

6. Quand est-ce que Paul arrive à l'école?
   a. Le matin.   **b.** L'après-midi.   **c.** Le soir.

7. Quand est-ce qu'il quitte l'école?
   a. Le matin.   **b.** L'après-midi.   **c.** Le soir.

D **Qu'est-ce que... ?** Répondez d'après les indications. (*Answer according to the cues.*)

1. Qu'est-ce que Paul regarde? (le livre)
2. Qu'est-ce qu'il étudie? (le vocabulaire)
3. Qu'est-ce qu'il passe? (un examen)
4. Qu'est-ce qu'il parle? (français)
5. Qu'est-ce qu'il pose? (une question)

VOCABULAIRE

MOTS 2

APRÈS LES COURS

un magasin de disques

des cassettes

des magazines

une cassette

un magazine

un walkman

une vidéo(cassette)

un compact disc

l'argent

PAULINE

Voici Pauline.
Pauline travaille après les cours.
Elle travaille dans un magasin de disques à Montréal.

Pauline

lundi
mardi   de 16h à 20h
mercredi
jeudi   de 16h à 20h
vendredi
samedi   de 10h à 17h
dimanche

Elle travaille quinze heures par semaine.
Elle travaille à mi-temps.
Elle ne travaille pas à plein temps.

Elle gagne cinquante dollars par semaine.

Les copains parlent.
Ils parlent au téléphone.

la télé

Ils regardent la télé.
Ils n'écoutent pas la radio.

la radio

une fête

Vendredi soir Caroline donne une fête.
Caroline aime (adore) les fêtes.
Elle invite des amis.

Pendant la fête les amis dansent.
Ils écoutent des cassettes.

Ils rigolent.

Note: The verb *rigoler* is an informal word which means "to joke around," "to have a good time."

Ils chantent.

Exercices

A **Qu'est-ce que c'est?** Identifiez. (*Identify each item.*)

1.

2.

3.

4.

5.

6.

B **Après les cours.** Répondez. (*Answer.*)

1. Après les cours les copains écoutent des compact discs ou des cassettes?
2. Ils aiment la musique classique ou populaire?
3. Les copains regardent la télé?
4. Qui donne une fête?
5. Elle invite des amis?
6. Quand est-ce qu'elle donne la fête?

C **Pauline travaille!**
Répondez. (*Answer.*)

1. Pauline est française ou canadienne?
2. Après les cours elle est libre?
3. Elle travaille?
4. Où est-ce qu'elle travaille?
5. Elle travaille à mi-temps ou à plein temps?
6. Elle gagne combien d'argent par semaine?

Armand et Justine travaillent au Chalet Suisse.

Activités de communication orale

Mots 1 et 2

A **Au magasin de disques.** You're in a record store in Quebec. Ask the salesperson (your partner) the price of each of the following items.

> un disque ($5)
>
> Élève 1: S'il vous plaît, Mademoiselle (Monsieur). C'est combien, le disque?
>
> Élève 2: C'est cinq dollars.

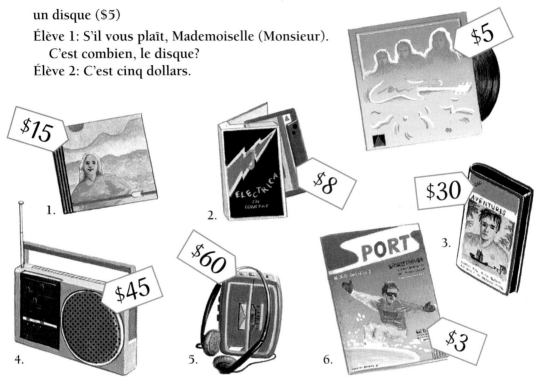

B **En classe ou après les cours?** Tell a few things a friend of yours does almost every day. Your partner will decide whether your friend does these things in class or after school.

> Élève 1: Il/Elle regarde la télé.
> Élève 2: Il/Elle regarde la télé après les cours.
>
> Élève 1: Il/Elle passe un examen.
> Élève 2: Il/Elle passe un examen en classe.

STRUCTURE

Le pronom *on*

Talking About People in General:
"We," "People," "They"

1. You will use the word *on* a great deal in French. It can have many different meanings. One of its most common meanings is "we." Its other equivalents in English are words such as "people" and "they."

   On parle français en France.   *They (People) speak French in France.*

2. You can also use *on* to make suggestions about doing something.

   On regarde la télé?   *Let's watch TV. (Are we going*
                                    to watch TV?)
   On écoute la cassette?   *Shall we listen to the cassette?*

3. With *on* you use the same form of the verb as you do with *il* and *elle*.

   Il parle français en classe.
   On parle français en Belgique.

Exercice

A Aux États-Unis.   Un(e) élève français(e) pose des questions à un(e) élève américain(e). *(You are a French student. Ask a classmate about life in the U.S.)*

   On arrive à l'école à quelle heure?
   On arrive à l'école à huit heures.

1. On entre dans la salle de classe à quelle heure?
2. On quitte l'école à quelle heure?
3. On déteste les examens?
4. On travaille beaucoup à l'école?
5. On aime le cinéma?
6. On travaille après les cours?
7. On écoute des disques rock?
8. On regarde la télé?
9. On parle au téléphone?

Les verbes réguliers
en -er au présent

Describing People's Activities

---

1. A verb is a word that expresses an action or a state of being. Words such as *parler, travailler,* and *aimer* are verbs. These are called regular verbs because they all follow the same pattern and have the same endings.

2. The infinitive form of these verbs ends in *-er.* The infinitive is the basic form of the verb that you find in the dictionary.

   parler   *to speak, to talk*
   travailler   *to work*
   aimer   *to like*

3. You drop the *-er* of the infinitive to form the stem.

   parler   **parl-**
   aimer   **aim-**

4. You add the endings for each subject to this stem. Study the following chart.

INFINITIVE	PARLER	AIMER	
STEM	parl-	aim-	ENDINGS
	je parle	j'aime	-e
	tu parles	tu aimes	-es
	il parle	il aime	
	elle parle	elle aime	-e
	on parle	on aime	
	nous parlons	nous aimons	-ons
	vous parlez	vous aimez	-ez
	ils parlent	ils aiment	
	elles parlent	elles aiment	-ent

5. You pronounce the *je, tu, il, elle, on, ils,* and *elles* forms of the verb the same even though they are spelled differently.

6. When a verb begins with a vowel or a silent *h, je* is shortened to *j'.*

   J'aime Paris.
   J'habite à Lyon.

7. In the negative, you shorten the *ne* to *n'* before a vowel or a silent *h.*

   Je n'aime pas les maths.
   Je n'habite pas à Paris.

8. With all verbs beginning with a vowel or a silent *h* there is a liaison between the subject and the verb with the plural forms *nous, vous, ils,* and *elles.* The *s* is pronounced like a *z.*

      nous͜ étudions   vous͜ aimez   ils͜ habitent

Exercices

A   **Thérèse parle français.**   Répondez d'après les dessins. (*Answer according to the illustrations.*)

1. Thérèse est américaine ou française?
2. Elle habite à Chicago ou à Paris?
3. Elle habite avenue Gambetta ou avenue Saint-Pierre?
4. Elle parle anglais ou français?
5. Elle quitte la maison le matin ou l'après-midi?
6. Elle arrive à l'école à quelle heure?

B   **Les élèves ou les profs?**   Dites si ce sont les professeurs, les élèves ou les deux. (*Tell who is doing the following activities—the students, the teachers, or both.*)

      Qui arrive à l'école le matin?
      Les profs et les élèves arrivent à l'école le matin.

1. Qui entre dans la salle de classe?
2. Qui parle en classe?
3. Qui écoute en classe?
4. Qui regarde le tableau noir?
5. Qui donne les examens?
6. Qui passe les examens?
7. Qui corrige les examens?
8. Qui étudie beaucoup?
9. Qui pose des questions?

C **Tu parles français?** Répétez la conversation. (*Practice the conversation.*)

BARBARA: René, tu n'es pas français, n'est-ce pas?
RENÉ: Non, je ne suis pas français.
BARBARA: Mais tu parles français.
RENÉ: Bien sûr, je parle français.
BARBARA: Mais comment ça, si tu n'es pas français?
RENÉ: Mais je suis belge.
BARBARA: Ah, c'est vrai. On parle français en Belgique.

La Grand-Place à Bruxelles, en Belgique

D **À votre tour.** Donnez des réponses personnelles. (*Give your own answers.*)

1. Tu habites dans quelle ville?
2. Tu quittes la maison à quelle heure le matin?
3. Tu arrives à l'école à quelle heure?
4. Est-ce que tu parles français avec les copains?
5. Tu parles quelle langue dans la classe de maths?
6. Tu aimes quels cours? quels profs?
7. Tu détestes quels cours?
8. Est-ce que tu travailles après les cours?
9. Est-ce que tu chantes quand tu écoutes la radio?
10. Quand est-ce que tu regardes la télé?

E **Pardon?** Posez des questions d'après le modèle. (*Ask questions according to the model.*)

> **Nous écoutons des compact discs.**
> **Pardon? Qu'est-ce que vous écoutez?**

1. Nous détestons la musique classique.
2. Nous regardons la télé.
3. Nous regardons les magazines.
4. Nous écoutons la radio.
5. Nous aimons les fêtes.
6. Nous donnons une fête.

F **Vous donnez une fête?** Donnez des réponses personnelles avec «nous». (*Give your own answers with* nous.)

1. Vous donnez une fête?
2. Pendant la fête, vous dansez?
3. Vous chantez?
4. Vous écoutez des disques?
5. Vous regardez la télé?

G **Notre fête.** Complétez. *(Complete.)*

1. Nous ___ une fête. (donner)
2. Nous ___ la fête pour célébrer l'anniversaire *(birthday)* de Claude. (donner)
3. Nous ___ les amis de Claude. (inviter)
4. Claude ___ à l'heure. (arriver)
5. Les amis ___ à la fête. (arriver)
6. Pendant la fête les amis ___. (rigoler)
7. On ___ et on ___. (danser, chanter)
8. Et vous, vous ___ les fêtes? (aimer)
9. Vous ___ danser? (aimer)
10. Vous ___ à quelle heure? (rentrer)

L'article indéfini au pluriel; La négation des articles indéfinis

Expressing "Some" and "Not Any"

1. You have already learned the singular indefinite articles *une* and *un*. The plural of *une* and *un* is *des*, which means "some" or "any" in English.

Il regarde un magazine.	**Il regarde *des* magazines.**
Elle écoute une cassette.	**Elle écoute *des* cassettes.**
Il invite un(e) ami(e).	**Il invite *des* ami(e)s.**

2. In the negative all the indefinite articles change to *de*. Note that *de* is shortened to *d'* before a vowel or silent *h*.

J'écoute un disque.	**Je *n'*écoute *pas de* disque.**
Tu regardes une vidéo.	**Tu *ne* regardes *pas de* vidéo.**
Nous invitons des copains.	**Nous *n'*invitons *pas de* copains.**
Les élèves passent des examens.	**Mais ils *ne* passent *pas d'*examens aujourd'hui.**

Exercices

A **Le temps libre.** Donnez des réponses personnelles. *(Give your own answers.)*

1. Quand tu es libre, est-ce que tu regardes des livres scolaires ou des magazines?
2. Tu écoutes des cassettes ou des disques après les cours?
3. Pendant le week-end, tu regardes des livres ou des vidéos?
4. Quand tu donnes une fête, tu invites des amis?
5. Pendant une fête tu regardes des vidéos?

B **En classe.** Répondez négativement. (*Answer in the negative.*)

1. Tu écoutes des compact discs?
2. Tu regardes une vidéo?
3. Tu chantes une chanson populaire?
4. Tu regardes un magazine?
5. Le professeur passe des examens?
6. Il donne des devoirs amusants?

Le verbe + l'infinitif

Talking About What You Like or Don't Like to Do

1. In French when the verbs *aimer, adorer,* and *détester* are followed by another verb, the second verb is in the infinitive form.

   J'aime chanter.   **J'adore danser.**   **Je déteste étudier.**

2. In a negative sentence the *ne… pas* goes around the first verb.

   Il *n*'aime *pas* chanter.

Exercices

A **Tu aimes danser?** Posez les questions suivantes à un copain ou à une copine. (*Ask a classmate the following questions.*)

> Élève 1: **Tu aimes danser?**
> Élève 2: **Bien sûr. J'aime beaucoup danser. (Mais non! Pas du tout.**
> **Je déteste danser.)**

1. Tu aimes écouter la radio?
2. Tu aimes regarder la télé?
3. Tu aimes étudier?
4. Tu aimes parler au téléphone?
5. Tu aimes rigoler?
6. Tu aimes chanter?

B **Ils aiment danser?** Décidez si ces personnes aiment ces activités. (*Decide if these people like the following activities.*)

> **Elle aime (adore) chanter.**

1.   2.   3.   4.

CONVERSATION

Scènes de la vie *Après le cours de français*

JEANNE: Charles, tu aimes le français?
CHARLES: Beaucoup. C'est extra, vraiment.
JEANNE: Pourquoi ça?
CHARLES: Le prof est très intéressant.
JEANNE: Et tu aimes parler?
CHARLES: Beaucoup.
JEANNE: Et tu parles très, très bien le
français, Charles.
CHARLES: Merci, Jeanne.

A **Charles et Jeanne.** Répondez d'après la conversation. (*Answer according to the conversation.*)

1. Charles aime quel cours? Pourquoi?
2. Comment est le prof?
3. Charles aime parler français?
4. Charles parle bien ou pas?
5. Jeanne est française ou pas?
6. Et Charles, il est français ou pas?

B **À votre tour.** Donnez des réponses personnelles. (*Give your own answers.*)

1. Tu aimes le français? Pourquoi?
2. Comment est le professeur?
3. Tu aimes parler français?
4. Tu parles bien ou pas?

Prononciation   *Les sons /é/ et /è/*

There is an important difference in the way French and English vowels are pronounced. When you say the French word *des*, your mouth is tense, in one position. You can actually repeat the vowel sound /é/ as many times as you want without moving your mouth at all. But when you pronounce the English word "day," your mouth is relaxed and you actually say two vowel sounds.

Now listen to the word *élève*. There are two distinct vowel sounds. The sound /é/ is a "closed" sound and /è/ an "open" sound. This describes the positions of the mouth for each of these sounds. Repeat the following.

| Le son /é/ | la télé | le café | l'école | écoutez |
| Le son /è/ | après | la fête | vous êtes | la cassette |

Après l'école, les élèves aiment écouter des cassettes.

élève

Activités de communication orale

A   Des préférences.   Ask a classmate which courses he or she likes or dislikes and why. Then tell the class what he or she said.

B   Un copain français ou une copine française.   You're spending the summer in France and you've just met a French student (your partner) who'd like to know more about you. Tell him or her:

1. where you're from
2. where you're a student
3. what time you leave home in the morning
4. what your French class is like
5. what your French teacher is like
6. when you leave school
7. some things you do after school

C   Vous aimez ou vous n'aimez pas... ?   Divide into small groups and choose a leader. Using the list below, the leader finds out what each person in the group likes and doesn't like to do and then reports to the class.

étudier

Élève 1: Tu aimes étudier?
Élève 2: Moi, j'aime étudier. (Je déteste étudier.), etc.
Élève 1 (*à la classe*): Martin et Anne aiment étudier...

1. danser
2. chanter
3. passer des examens
4. regarder la télé
5. donner des fêtes
6. parler au téléphone

LECTURE ET CULTURE

UNE ÉLÈVE PARISIENNE

Geneviève habite rue Saint-Julien-le-Pauvre à Paris. La rue Saint-Julien-le-Pauvre est près de la Sorbonne. La Sorbonne est une université célèbre à Paris. Geneviève quitte la maison à huit heures moins le quart. Elle est élève au Lycée Saint-Louis. Les cours commencent à huit heures et demie. Geneviève arrive au lycée à huit heures. Elle aime arriver de bonne heure[1]! Avant[2] les cours elle parle avec les copains dans la cour[3]. Elle aime ça. Elle quitte le lycée à cinq heures.

Les lycéens français passent à peu près[4] trente heures par semaine à l'école. En France la plupart[5] des matières sont obligatoires et très peu de[6] matières sont facultatives. On est libre le mercredi après-midi.

En France les élèves passent un examen difficile, le baccalauréat (le bachot ou le bac) avant d'être diplômés.

[1] de bonne heure *early*
[2] Avant *Before*
[3] cour *courtyard*
[4] à peu près *about*
[5] la plupart *most*
[6] peu de *few*

Étude de mots

A **Des mots apparentés.** Choisissez le bon mot. (*Choose the correct word.*)

arrive   commencent
cours   obligatoire

1. J'___ à l'école à sept heures et demie du matin.
2. Les cours ___ à huit heures.
3. Le ___ de Madame Benoît est très intéressant.
4. L'anglais est un cours ___.

B **En France.** Trouvez les mots qui correspondent. (*Find the corresponding word or phrase.*)

1. célèbre
2. le lycée
3. la matière
4. une matière facultative
5. le baccalauréat
6. les vacances

a. le bachot, le bac
b. la discipline, le cours
c. fameux, illustre
d. une école secondaire française
e. le contraire d'une matière obligatoire
f. la période de temps où on est libre

Compréhension

C Vous avez compris? Répondez. (*Answer.*)

1. Où est-ce que Geneviève habite?
2. Elle habite dans quelle rue?
3. Où est la rue?
4. Geneviève quitte la maison à quelle heure?
5. Les cours commencent à quelle heure?

D Les écoles en France. Trouvez les renseignements suivants dans la lecture. (*Find the following information in the reading.*)

1. the name of a university in Paris
2. a test taken by French students
3. the number of hours spent weekly by French students in school
4. when French students are free
5. the time school begins in France

E Aux États-Unis. Répondez. (*Answer.*)

1. Les cours commencent à quelle heure?
2. Les élèves américains passent combien d'heures par semaine à l'école?
3. On est libre quels jours aux États-Unis?

DÉCOUVERTE CULTURELLE

Aux États-Unis beaucoup d'élèves travaillent après les cours. Ils travaillent à mi-temps. Ils travaillent, par exemple, dans un magasin, dans un supermarché ou dans un restaurant. Ils gagnent de l'argent—quarante ou cinquante dollars par semaine. Ils dépensent[1] l'argent pour aller au cinéma, pour acheter[2] des cassettes ou des jeans.

En France, au contraire, relativement peu de lycéens travaillent après les cours. Les élèves ne travaillent pas à mi-temps. C'est assez rare.

[1] dépensent   *spend*
[2] acheter   *to buy*

LE DIPLÔME NATIONAL DU BREVET

SÉRIE : COLLÈGE

RÉPUBLIQUE FRANÇAISE

MINISTÈRE DE L'ÉDUCATION NATIONALE

ACADÉMIE DE PARIS

DÉPARTEMENT DE PARIS

VU les textes en vigueur   VU le procès verbal du jury

EST DÉLIVRÉ

à   **MADEMOISELLE BRILLIÉ**   **MARINA DIANE AVIVA**

né(e)   le 01 AVRIL 1982   à 075 PARIS 14

fait à   **ARCUEIL**   le 22 OCTOBRE 1997

Signature du Titulaire,

Le Directeur du Service Interacadémique des examens et concours

J. KOOIJMAN

No. 7506094

Vous êtes priés de faire des photocopies certifiées conformes à l'original: il ne sera pas délivré de duplicata

RÉALITÉS

1

2

VICTOR HUGO

Voici un couple de jeunes dans le jardin du Luxembourg à Paris **1**. Le jardin du Luxembourg est au Quartier Latin, pas loin de la Sorbonne.

C'est la Sorbonne **2**. C'est une université célèbre. La Sorbonne est à Paris, au Quartier Latin.

Ce sont deux élèves et un professeur du Lycée Henri IV à Paris **3**. Le Lycée Henri IV est dans le cinquième arrondissement. Un arrondissement est un quartier ou une zone de la ville. Le cinquième est très fréquenté par des lycéens et des étudiants universitaires.

Voici la rue de la Harpe **4**. C'est une rue du Quartier Latin. Après les cours les étudiants et les lycéens fréquentent les cafés du Quartier Latin.

3

4

83

Activités de communication orale

A **Au café.** You're seated at a café in Aix-en-Provence. You're chatting with a French student, Paul, who wants to know about life in the U.S. Answer his questions.

Paul

1. Tu passes combien d'heures par semaine à l'école?
2. Les cours commencent à quelle heure?
3. Tu es libre quel jour?
4. Les jeunes Américains travaillent après les cours?
5. Tu travailles à mi-temps?

B **La fête.** You're showing your French friend Alain Dumont a photo of a party at your house. Tell him what an American party is like.

Activité de communication écrite

A **Et toi?** Write a paragraph about yourself by answering the following questions.

1. Où est-ce que tu habites?
2. Où est-ce que tu es élève?
3. Tu arrives à l'école à quelle heure?
4. Les cours commencent à quelle heure?
5. Tu aimes le cours de français?
6. Qui est le prof?
7. Tu aimes quelle autre matière?
8. Tu quittes l'école à quelle heure?
9. Tu travailles à mi-temps après les cours?
10. Tu aimes donner des fêtes pendant le week-end?

Réintroduction et recombinaison

A **À l'école.** Donnez des réponses personnelles. *(Give your own answers.)*

1. Tu es de quelle ville?
2. Où est-ce que tu es élève?
3. Tu étudies quelles matières?
4. Tu aimes quels cours?
5. Tu n'aimes pas quels cours?
6. Tu passes des examens?
7. Les examens sont faciles ou difficiles?
   Et les devoirs?
8. Qui donne les examens?
9. Qui est le prof de français?

B **Un autoportrait.** Complétez. *(Complete.)*

1. Bonjour! Je suis ___.
2. Je ___ de ___. (ville)
3. Je parle ___ et ___.
4. J'habite ___.
5. J'arrive à l'école ___.
6. À l'école j'étudie ___, ___ et ___.
7. Je quitte l'école ___.
8. Avec les copains j'aime ___ et ___.

Vocabulaire

NOMS	VERBES	
la maison	aimer	rigoler
la rue	adorer	travailler
la fête	détester	à mi-temps
la télé	arriver	à plein temps
la radio	chanter	
le walkman	danser	AUTRES MOTS ET EXPRESSIONS
le magazine	donner	
le disque	écouter	parler au téléphone
le compact disc	entrer	poser une question
la cassette	étudier	passer un examen
la vidéo(cassette)	gagner	par jour
le magasin	habiter	par semaine
l'argent (m.)	inviter	pendant
l'examen (m.)	parler	après
	quitter	beaucoup
	regarder	quand
	rentrer	

COLLÈGE:
EUGÈNE DELACROIX
13/15, rue Eugène Delacroix
75116 PARIS

1er TRIMESTRE   ANNÉE 19 96 —
NOM ET PRÉNOM: BAILLY Cami
DATE DE NAISSANCE: 17.11-83 CLASSE:
PROFESSEUR PRINCIPAL: N. Rivière EFFECT

DISCIPLINES	NOTES	LA PLUS BASSE	MOYENNE	LA PLUS HAUTE	SENS DE L'ÉVOLUTION	APPRÉCIATIONS DES PROF
ORTHOGRAPHE		17,75	00	14,9	17,75	Excellent travail
GRAMMAIRE						Bonne participati
EXPLICATION DE TEXTES		15,5	07	11	11,5	Résultats très satis
COMPOSITION FRANÇAISE		ORAL	A			
LANGUE VIVANTE 1 Allemand	ÉCRIT	14				Bien dans l'ensem
	ORAL					Bon Travail
LANGUE VIVANTE 2 Anglais	ÉCRIT	17,5	9	14	19	
	ORAL					
L.V. RENFORCÉE	ÉCRIT					Très bon trime
	ORAL	19	13	16	10	
LATIN DC		20				
GREC						Trimestre et satisfaisants un peu len
HISTOIRE						
GÉOGRAPHIE		12	08	11	14	Excellent t
ÉCONOMIE						Attitude
ÉDUCATION CIVIQUE						très satis
MATHÉMATIQUES		17,5	5	11	17,5	Assez b
SCIENCES PHYSIQUES		12		10		Ensemble v saudra couse trimestre
SCIENCES NATURELLES		10	5½	10	15	
TECHNOLOGIE		17	15		15	Bon tru
ARTS PLASTIQUES						Ensemble J'attends trava
ÉDUCATION MUSICALE		08,5				Résulta
ÉDUCATION PHYSIQUE ET SPORTIVE		11,5	05	08	15	Corre

AVIS DU CONSEIL DE CLASSE

FÉLICITATIONS	Très bon trimestre
ENCOURAGEMENTS	Mes compliments
AVERTISSEMENT	
– TRAVAIL	
– CONDUITE	
BLÂME	

CHAPITRE

4

LA FAMILLE ET LA MAISON

OBJECTIFS

In this chapter you will learn to do the following:

1. talk about your family
2. describe your home
3. give today's date
4. give the date of your birthday and that of others
5. give your age and find out someone else's age
6. tell what belongs to you and others
7. use certain adjectives to describe people and things
8. talk about housing in France and the U.S.

VOCABULAIRE

MOTS 1

les grands-parents

M. Girard
le grand-père

Mme Girard
la grand-mère

les parents

M. Revel
l'oncle

Mme Revel
la tante

Mme Debussy
la mère   la femme

M. Debussy
le père   le mari

Guy

Anne

les enfants

Philippe

Monique

le neveu   le cousin   la nièce   la cousine   le fils   le petit-fils   la fille   la petite-fille

Minou
le chat

Médor
le chien

Voici la famille Debussy.

M. et Mme Debussy ont deux enfants, un fils et une fille.

La famille Debussy a un appartement à Paris.

Les Debussy ont un chien, Médor.

Ils n'ont pas de chat.

Philippe Debussy est le fils de M. et Mme Debussy.

Il a quel âge?

Il a seize ans.

Monique est la fille de M. et Mme Debussy.

Elle a quatorze ans.

C'est quand, l'anniversaire de Monique?

L'anniversaire de Monique est le 4 novembre.

C'est aujourd'hui!

Monique et Philippe sont jeunes.

Ils ne sont pas vieux.

Les mois de l'année sont:

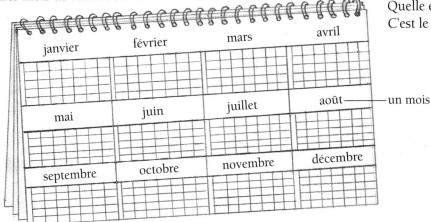

Quelle est la date aujourd'hui?
C'est le 4 novembre.

Note: For the first day of the month, you say *le premier.*

le 1er avril   **le premier avril**

Exercices

A La famille Debussy. Répondez. (*Answer.*)

1. La famille Debussy a un appartement à Paris?
2. M. et Mme Debussy ont deux enfants?
3. La famille Debussy est grande ou petite?
4. Le fils a quel âge?
5. La fille a quel âge?
6. Les Debussy ont un chien ou un chat?
7. Les enfants de M. et Mme Debussy ont des cousins?
8. Ils ont des oncles et des tantes?
9. Ils ont des grands-parents?

B Ma famille et moi. Complétez. (*Complete.*)

1. Le frère de mon père est mon ___.
2. La sœur de mon père est ma ___.
3. Le frère de ma mère est mon ___.
4. La sœur de ma mère est ma ___.
5. Le fils de mon oncle et de ma tante est mon ___.
6. Et la fille de mon oncle et de ma tante est ma ___.
7. Les enfants de mes oncles et de mes tantes sont mes ___.
8. Et moi, je suis ___ de mon oncle et de ma tante.
9. Le père de ma mère est mon ___.
10. La mère de mon père est ma ___.
11. Je suis ___ de mes grands-parents et ___ de mes parents.

C **Les anniversaires.** Indiquez l'anniversaire de chaque personne d'après le carnet d'anniversaires. *(Give the date of each person's birthday according to the birthday book.)*

Maman
L'anniversaire de Maman est le 4 mars.

1. Papa
2. Philippe
3. Oncle Pierre
4. Tante Marie
5. Céline
6. Grégoire
7. Marie-France
8. Grand-mère

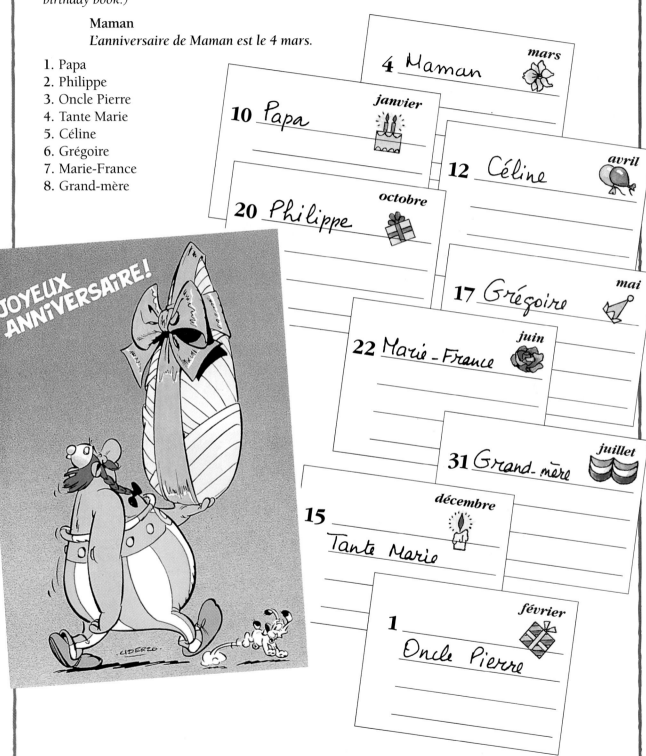

mars — 4 Maman

janvier — 10 Papa

octobre — 20 Philippe

avril — 12 Céline

mai — 17 Grégoire

juin — 22 Marie-France

juillet — 31 Grand-mère

décembre — 15 Tante Marie

février — 1 Oncle Pierre

JOYEUX ANNIVERSAIRE!

VOCABULAIRE

MOTS 2

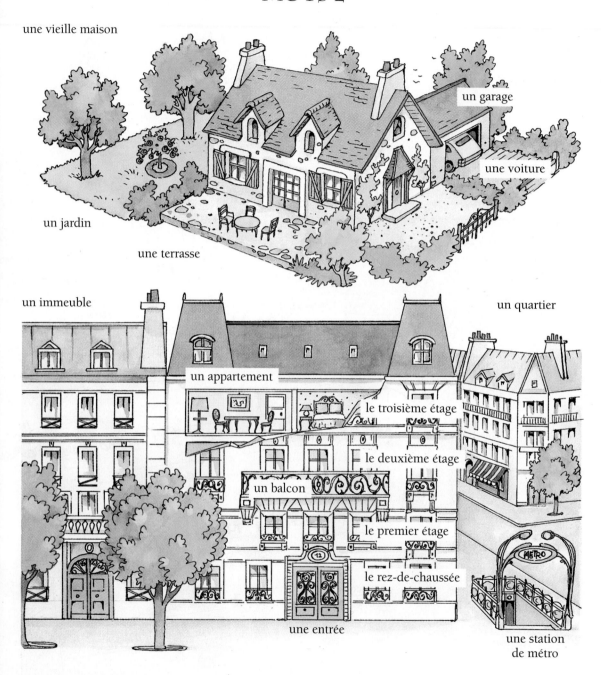

une vieille maison

un garage

une voiture

un jardin

une terrasse

un immeuble

un quartier

un appartement

le troisième étage

le deuxième étage

un balcon

le premier étage

le rez-de-chaussée

une entrée

une station
de métro

Les Debussy ont un joli appartement près de la station de métro.
L'appartement n'est pas loin de la station de métro.
Il y a dix appartements dans l'immeuble.

un ascenseur

bavarder

une cour

un voisin

une voisine

Il y a un ascenseur dans l'immeuble.
Il n'y a pas de garage dans l'immeuble.
M. Debussy bavarde avec les voisins.

Il y a six pièces dans l'appartement.

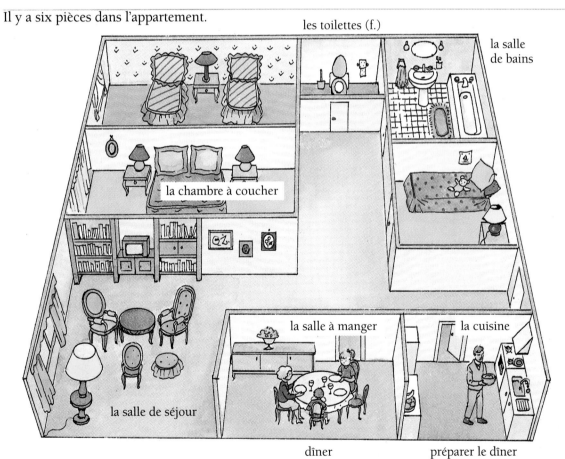

les toilettes (f.)

la salle
de bains

la chambre à coucher

la salle à manger

la cuisine

la salle de séjour

dîner

préparer le dîner

Exercices

A Un très bel immeuble.
Identifiez. (*Identify.*)

1. C'est le premier étage ou le rez-de-chaussée?
2. C'est le balcon ou la cour?
3. C'est l'entrée ou le rez-de-chaussée?
4. C'est le premier étage ou le deuxième étage?
5. C'est le balcon ou l'ascenseur?

B La vieille maison.
Répondez d'après le dessin. (*Answer according to the illustration.*)

1. La maison a combien de pièces?
2. Les pièces sont grandes?
3. Il y a combien d'étages?
4. Il y a une grande cuisine?
5. Il y a combien de chambres à coucher?
6. Il y a combien de salles de bains?
7. Il y a combien de toilettes?
8. Il y a un balcon?

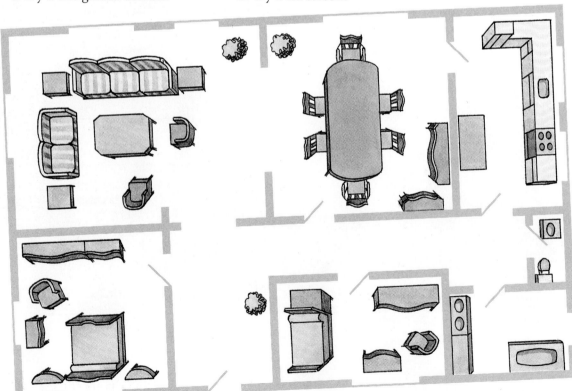

C **Quelle pièce?** Choisissez la bonne réponse. *(Choose the correct answer.)*

1. On regarde la télé dans ___.
   a. la salle à manger   **b.** la salle de bains   **c.** la salle de séjour

2. On prépare le dîner dans ___.
   a. la salle à manger   **b.** la cuisine   **c.** la chambre à coucher

3. On bavarde avec les voisins dans ___.
   a. la chambre à coucher   **b.** la cour   **c.** la salle de bains

4. On dîne dans ___.
   a. la salle de séjour   **b.** la cuisine ou la salle à manger
   c. la chambre à coucher

5. On dîne sur ___ de la maison en juillet et en août.
   a. la terrasse   **b.** l'étage   **c.** la pièce

D **Ma maison.** Donnez des réponses personnelles. *(Give your own answers.)*

1. Où habites-tu?
2. Tu habites quelle rue?
3. Tu habites dans un appartement ou dans une maison?
4. Il y a combien de pièces dans l'appartement ou la maison?
5. Il y a combien de chambres à coucher?
6. Il y a une terrasse ou un balcon?
7. Il y a un ascenseur dans l'immeuble?
8. La maison ou l'immeuble a un garage?
9. La voiture est dans le garage le soir?
10. Tu bavardes avec les voisins?

Activités de communication orale
Mots 1 et 2

A **La famille Lapeyre.** Here's a picture of the Lapeyre family. Say as much as you can about them.

B **Ma maison.** During a visit to Nîmes in Southern France you meet a French student. He or she wants to know:

1. whether you live in a house or an apartment
2. what your house or apartment is like
3. whether there's a yard and what it's like

STRUCTURE

Le verbe *avoir* au présent

*Telling What You and Others Have;
Telling People's Ages*

---

1. The verb *avoir*, "to have," is an irregular verb. Study the present tense forms of this verb. Note that there is a liaison in the plural. The *s* is pronounced like a *z*.

AVOIR	
j'ai	nous avons
tu as	vous avez
il a	ils ont
elle a	elles ont

2. You also use the verb *avoir* to express age in French.

> **Tu as quel âge?**
> **Moi, j'ai seize ans.**

Exercices

A **Les Lefèvre.** Répondez d'après la photo. *(Answer according to the photo.)*

1. Catherine Lefèvre a un frère?
2. Jacques a une sœur?
3. Monsieur et Madame Lefèvre ont deux enfants?
4. Ils ont un appartement à Paris?
5. Ils ont un jardin?
6. Les Lefèvre ont un chat?

B **Qu'est-ce qu'il a, Robert?** Répondez d'après le modèle. *(Answer according to the model.)*

> **Robert a une cassette?**
> *Non, il n'a pas de cassette.*

1. Il a un stylo?
2. Il a une voiture?
3. Il a un chat?
4. Il a un chien?
5. Il a un éléphant?
6. Il a des livres?

C **Tu as un frère?** Répétez la conversation. (*Practice the conversation.*)

THÉRÈSE: René, tu as un frère?
RENÉ: Non, je n'ai pas de frère, mais j'ai une sœur.
THÉRÈSE: Tu as une sœur? Elle a quel âge?
RENÉ: Elle a quatorze ans.
THÉRÈSE: Et toi, tu as quel âge?
RENÉ: Moi, j'ai seize ans.
THÉRÈSE: Ta sœur et toi, vous avez un chien?
RENÉ: Non, nous n'avons pas de chien. Mais nous avons un petit chat.

Complétez d'après la conversation. (*Complete according to the conversation.*)

1. René n'___ pas ___ frère.
2. Mais il ___ une sœur.
3. Sa sœur ___ quatorze ans.
4. René ___ seize ans.
5. René et sa sœur n'___ pas ___ chien.
6. Mais ils ___ un petit chat.

D **J'ai.** Donnez des réponses personnelles. (*Give your own answers.*)

1. Tu as des frères? Tu as combien de frères?
2. Tu as des sœurs? Tu as combien de sœurs?
3. Tu as un chien?
4. Tu as un chat?
5. Tu as des amis?
6. Tu as des cousins?
7. Tu as combien de cousins?
8. Tu as combien d'oncles?
9. Tu as combien de tantes?
10. Tu as une petite ou une grande famille?
11. Tu as quel âge?

E **Dans ton sac à dos.** Posez des questions à un copain ou à une copine d'après le modèle. (*Ask a classmate questions according to the model.*)

un crayon

Élève 1: Tu as un crayon dans ton sac à dos?
Élève 2: Oui, j'ai un crayon. (Non, je n'ai pas de crayon.)

1. un stylo
2. une calculatrice
3. un livre d'espagnol
4. des cassettes
5. un chien
6. un cahier
7. des devoirs
8. un ordinateur

F **Qu'est-ce que vous avez?** Posez des questions d'après le modèle. (*Ask questions according to the model.*)

une maison ou un appartement
Maurice et Pauline, vous avez une maison ou un appartement?

1. un chien ou un chat
2. un frère ou une sœur
3. un neveu ou une nièce
4. des disques ou des cassettes
5. une voiture ou une bicyclette

G **Ma famille et moi.** Donnez des réponses personnelles en utilisant «nous». (*Give your own answers about you and your family using* nous.)

1. Vous avez une maison?
2. Vous avez un appartement?
3. Vous avez un chien?
4. Vous avez un chat?
5. Vous avez une voiture?
6. Vous avez un jardin?

H **La famille Duhamel.** Complétez avec «avoir». (*Complete with* avoir.)

Voici la famille Duhamel. La famille Duhamel ___ un très
$\underset{1}{}$
joli appartement à Paris dans le cinquième arrondissement.

L'appartement ___ six pièces. Les Duhamel ___ aussi une
$\underset{2}{}$ $\underset{3}{}$
maison à Juan-les-Pins. La maison à Juan-les-Pins est une petite

villa ou un bungalow où la famille Duhamel passe les vacances.

La villa ___ cinq pièces.
$\underset{4}{}$

Il y a quatre personnes dans la famille Duhamel. Olivier est

le fils. Olivier ___ une sœur, Gabrielle. Gabrielle ___ dix-sept
$\underset{5}{}$ $\underset{6}{}$
ans et son frère ___ quinze ans. Olivier et Gabrielle ___ un
$\underset{7}{}$ $\underset{8}{}$
petit chien, Milou. Ils adorent Milou.

Tu ___ un chien? Si tu n'___ pas de chien, tu ___ un chat?
$\underset{9}{}$ $\underset{10}{}$ $\underset{11}{}$
Ta famille ___ un appartement ou une maison? Ta famille et toi, vous ___ une
$\underset{12}{}$ $\underset{13}{}$
petite villa ou un bungalow où vous passez les vacances?

Les adjectifs possessifs

Telling What Belongs to You and Others

1. You use possessive adjectives to show possession or ownership. Like other adjectives, the possessive adjectives must agree with the nouns they modify. For example, if the noun is feminine, the adjective is feminine. If the noun is plural, the adjective is plural.

2. Study the following forms of the possessive adjectives: *mon, ma, mes* (my); *ton, ta, tes* (your); *son, sa, ses* (his *or* her).

MASCULIN SINGULIER	FÉMININ SINGULIER	PLURIEL
mon père	ma mère	mes parents
ton père	ta mère	tes parents
son père	sa mère	ses parents

3. You use *mon, ton, son* before a masculine singular noun.
You use *ma, ta, sa* before a feminine singular noun.
You use *mes, tes, ses* before a plural noun.

4. Note that *son, sa, ses* can mean either "his" or "her." The agreement is with the item owned, not the owner.

> le chien de Charles → son chien
> la maison de Charles → sa maison

5. Before a masculine or feminine singular noun that begins with a vowel or silent *h*, you use *mon, ton,* or *son.*

MASCULIN	FÉMININ
mon ami	*mon* amie
ton ami	*ton* amie
son ami	*son* amie

Exercices

A **À votre tour.** Donnez des réponses personnelles. (*Give your own answers.*)

1. Où est ta maison ou ton appartement?
2. Ta maison (Ton appartement) a combien de pièces?
3. Ta maison est grande ou petite? (Ton appartement est grand ou petit?)
4. C'est quand, ton anniversaire? Tu as quel âge?
5. Quel âge a ton frère, si tu as un frère?
6. Quel âge a ta sœur, si tu as une sœur?
7. Il y a combien de personnes dans ta famille?
8. Tes oncles et tes tantes habitent près ou loin de ta ville (ton village)?

B **J'ai une question pour toi.** Complétez avec «ton», «ta» ou «tes» et posez les questions à un copain ou à une copine d'après le modèle. (*Complete with* ton, ta, *or* tes *and then ask a classmate the questions according to the model.*)

> Où est ___ maison?
>
> Élève 1: Où est ta maison?
> Élève 2: Ma maison est près de l'école.

1. Qui est ___ amie?
2. Qui est ___ ami?
3. Où habitent ___ grands-parents?
4. ___ frère a quel âge?
5. ___ sœur a quel âge?
6. Où est ___ maison ou ___ appartement?
7. Tu aimes ___ cours de français?
8. ___ prof de français est sympa?

C **Le frère de Suzanne ou de Jacques.** Changez d'après le modèle. *(Change according to the model.)*

> le frère de Suzanne
> *son frère*

1. le père de Suzanne
2. la sœur de Suzanne
3. la sœur de Jacques
4. la maison de Jacques
5. l'appartement de Suzanne
6. les cousins de Jacques
7. les grands-parents de Jacques
8. les oncles de Jacques
9. l'amie de Suzanne

Adjectifs qui précèdent le nom   *Describing People and Things*

ADJECTIFS RÉGULIERS

In French most adjectives follow the noun they modify. However, some frequently used adjectives come before the noun. You already know a few of them: *joli, jeune, petit, grand.*

> **Ils ont un petit appartement à Paris.**
> **L'appartement est près d'une grande station de métro.**
> **Marlène est une jeune fille.**
> **Elle a un joli petit chien.**

Exercice

A **Marie-France.** Répondez d'après le dessin. *(Answer according to the illustration.)*

1. Marie-France est une jeune fille ou une jeune femme?
2. Elle a une grande famille ou une petite famille?
3. Elle a un petit chien adorable ou un grand chat?
4. Marie-France a un joli appartement à Paris?
5. Il y a un petit restaurant près de l'appartement?

ADJECTIFS IRRÉGULIERS

1. The adjectives *beau* (beautiful), *nouveau* (new), and *vieux* (old) also come before the noun. These adjectives have several forms.

FÉMININ SINGULIER	MASCULIN SINGULIER + VOYELLE	MASCULIN SINGULIER + CONSONNE
une belle maison	un bel appartement	un beau quartier
une nouvelle maison	un nouvel appartement	un nouveau quartier
une vieille maison	un vieil appartement	un vieux quartier

FÉMININ PLURIEL	MASCULIN PLURIEL	
de belles maisons	de beaux appartements	de beaux quartiers
de nouvelles maisons	de nouveaux appartements	de nouveaux quartiers
de vieilles maisons	de vieux appartements	de vieux quartiers

2. Note the special singular forms *bel*, *nouvel*, and *vieil* that come before masculine singular nouns beginning with a vowel or silent *h*.

3. In the masculine plural form, you pronounce the *x* like a *z* when it is followed by a vowel or silent *h*.

4. When an adjective comes before a plural noun, *des* becomes *de*.

> Il y a *de* petites et *de* grandes stations de métro dans la ville.
> Il y a *de* nouveaux et *de* vieux immeubles dans la ville.

Exercice

A **Le bel appartement des Dubois.** Complétez. (*Complete.*)

1. Les Dubois ont un ___ appartement dans un ___ immeuble dans un ___ quartier. (beau, vieux, beau)
2. Il y a de ___ et de ___ quartiers à Paris. (nouveau, vieux)
3. L'appartement des Dubois est près d'une ___ ou d'une ___ station de métro? (vieux, nouveau)
4. L'appartement des Dubois a de ___ pièces. (beau)
5. Il a de ___ pièces et un très ___ balcon. (grand, beau)
6. De l'appartement il y a une ___ vue sur la ville. (beau)
7. Les Dubois ont une ___ voiture. (nouveau)
8. La ___ voiture est ___. (nouveau, beau)

Scènes de la vie *Danielle, la nouvelle voisine*

MICHEL: Bonjour, Madame. Il y a une nouvelle famille dans le quartier?

LA VOISINE: Oui, les Smith. Ils sont américains.

MICHEL: Ils sont d'où?

LA VOISINE: De Dallas.

MICHEL: Il y a des enfants?

LA VOISINE: Oui, il y a deux enfants. David, le fils, a sept ans. Danielle, la fille, a quinze ans.

MICHEL: Ah, juste comme moi! Et... comment est Danielle?

LA VOISINE: Elle est très jolie et très sympathique. Le petit David est adorable. Mais ils ont un vieux chien et moi je n'aime pas beaucoup les chiens, surtout les vieux chiens.

MICHEL: Mais Danielle, elle aime les chiens?

LA VOISINE: Oui, elle est comme toi, mon petit Michel! Vous les jeunes, vous aimez beaucoup les chiens et les chats.

A **Les voisins.** Corrigez les phrases.
(Correct the sentences.)

1. Michel habite à Dallas.
2. La vieille voisine est la mère de Danielle.
3. Les nouveaux voisins sont français.
4. Michel a sept ans.
5. Le frère de Danielle est désagréable.
6. Les Smith sont de New York.
7. Ils ont un vieux chat.
8. La vieille voisine adore les chiens.

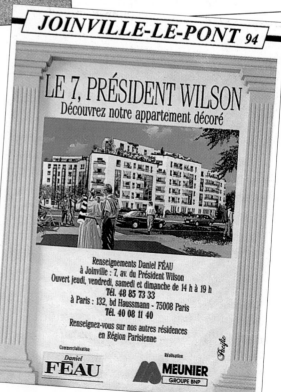

Prononciation *Le son /ã/*

There are three nasal vowel sounds in French: /ã/ as in *cent*, /õ/ as in *sont* et /ë/ as in *cinq*. They are called "nasal" because some air passes through the nose when they are pronounced. In this chapter, you will practice only the sound /ã/ as in *cent*.

Repeat the following. Notice that there is no /n/ sound after the nasal vowel.

> **Jean   cent   grand   amusant**
> **français   parent   fantastique**

> **Voilà les grands-parents, les parents et les enfants.**
> **Jean-François est fantastique. Il est français, grand, amusant.**

grand

Activités de communication orale

A **Les nouveaux voisins.** Imagine that your family is living for a while in Paris. A new family, the Lamberts, has just moved into your apartment building. Make up a few questions that you'd want to ask one of your neighbors to find out about the Lambert family.

B **Une rencontre.** As you're walking along the Seine in Paris, a friendly French woman strikes up a conversation with you. Answer her questions.

1. Tu habites où?
2. Tu habites dans une maison ou dans un appartement?
3. La plupart *(majority)* des Américains habitent dans une maison ou dans un appartement?
4. La plupart des familles américaines sont petites ou grandes?

C **Ton quartier.** Ask a classmate if his or her neighborhood has the following. Your partner will then ask you about your neighborhood.

> **Élève 1: Il y a une station de métro?**
> **Élève 2: Non, il n'y a pas de station de métro.**

1. Un cinéma?
2. Un parc?
3. Des immeubles?
4. Une discothèque?

5. Un lycée?
6. Des restaurants?
7. Des cafés?
8. Une banque?

LECTURE ET CULTURE

UNE FAMILLE FRANÇAISE

Les Debussy habitent à Paris. Comme[1] beaucoup de familles à Paris, ils habitent dans un appartement. Ils ont un très bel appartement dans un vieil immeuble dans le septième. Le septième arrondissement[2] à Paris est un très beau quartier. Le septième est un quartier assez résidentiel.

Dans l'immeuble il y a six étages. Les Debussy habitent au quatrième. Il y a six pièces dans l'appartement. Le salon donne sur[3] la rue mais les chambres à coucher donnent sur la cour. L'appartement a un balcon. Du balcon il y a une très belle vue sur la tour Eiffel.

[1] comme   *like*
[2] arrondissement   *district in Paris*
[3] donne sur   *faces*

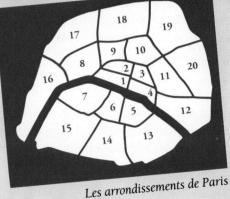

Les arrondissements de Paris

Étude de mots

A **Quel est le mot?** Choisissez la bonne réponse. (*Choose the correct answer.*)

1. Une partie (une zone) d'une ville est ___.
   a. un village   b. une banlieue   c. un quartier

2. Un bâtiment (un building) qui a des appartements est ___.
   a. une école   b. un immeuble   c. un arrondissement

3. Il y a des maisons ou des appartements privés dans un quartier ___.
   a. résidentiel   b. industriel   c. universitaire

4. Le père, la mère et les enfants sont ___.
   a. une famille   b. une classe   c. un groupe de copains

5. La ville de Paris est divisée en vingt ___.
   a. étages   b. arrondissements   c. pièces

Compréhension

B **La famille Debussy.** Corrigez les phrases. (*Correct the statements.*)

1. Les Debussy habitent dans la banlieue de Paris.
2. Ils ont une grande maison.
3. L'appartement est dans un nouvel immeuble.
4. Ils habitent dans le sixième arrondissement.
5. Le septième arrondissement est commercial et industriel.
6. Il y a huit pièces dans l'appartement de la famille Debussy.
7. Les chambres à coucher donnent sur la rue.
8. L'appartement est au rez-de-chaussée.

DÉCOUVERTE CULTURELLE

*B*eaucoup de Français habitent dans un appartement, surtout[1] les habitants des grandes villes. Il y a des appartements de grand standing pour les gens[2] riches et il y a des H.L.M. (Habitations à Loyer Modéré[3]) pour les gens qui n'ont pas beaucoup d'argent. Les H.L.M. sont généralement à l'extérieur des villes, à la périphérie ou en banlieue.

Il y a aussi des catégories de maisons privées. Pour les très riches il y a de grands châteaux à la campagne et pour les gens plus modestes il y a des pavillons, de petites maisons confortables en banlieue.

En France, comme aux États-Unis, dans beaucoup de familles la mère et le père travaillent. Il y a des crêches municipales[4] où les petits enfants passent la journée[5] quand les deux parents travaillent. Comme aux États-Unis, le taux de divorces[6] augmente en France. Beaucoup d'enfants habitent avec un seul parent, la mère ou le père. Il y a beaucoup de familles à parent unique.

[1] surtout *especially*
[2] gens *people*
[3] H.L.M. *low-income housing*
[4] crêches municipales *day-care centers*
[5] journée *day*
[6] taux de divorces *divorce rate*

Voici une rue avec un immeuble typique dans le septième arrondissement de Paris **1**. Et voici une autre vue de cet immeuble **2**. Trouvez l'entrée principale et la cour. Au rez-de-chaussée il y a des magasins et des boutiques. Aux autres étages il y a des appartements. Remarquez qu'il y a des pièces qui donnent sur la rue et des pièces qui donnent sur la cour.

Les Debussy ont une vue sur la tour Eiffel **3**. La tour Eiffel est un monument célèbre de Paris construit pour l'Exposition Universelle de 1889. Les touristes montent en haut de la tour Eiffel. Du haut de la tour Eiffel il y a une vue sur tout Paris.

La tour Eiffel est dans le septième au Champ-de-Mars **4**. Jusqu'à la Révolution Française de 1789 le Champ-de-Mars est un champ de manœuvres de l'armée française. Aujourd'hui il y a de très beaux jardins au Champ-de-Mars.

106

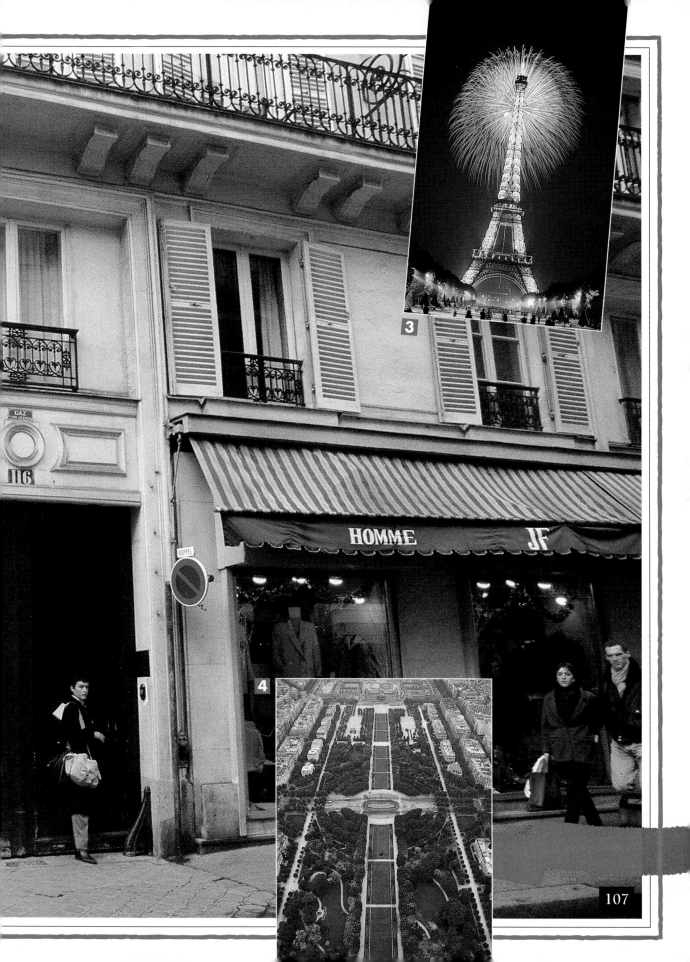

HOMME JF

116

3

4

107

CULMINATION

Activités de communication orale

A **Quelle maison?** You and your family are planning to spend a month in France. Which of the following houses, as described in the newspaper ads below, would suit your family best? Explain why, using the model as a guide.

J'ai une grande famille. Nous sommes six. Nous aimons la jolie villa avec quatre chambres. Nous aimons aussi les chats et les chiens.

Petit bungalow

dans un vieux quartier, beaucoup de charme. Trois pièces (une chambre à coucher), salle à manger avec belle table et chaises anciennes. Vingt minutes de la ville.

Appartement

dans bel immeuble, cinq pièces (deux chambres à coucher), avec grande cuisine moderne, bien situé au centre de la ville, près d'une banque et d'un cinéma.

Jolie villa

avec jardin et balcon avec vue sur la mer. Huit pièces (quatre chambres à coucher), garage pour deux voitures, chien et chat inclus. Située dans une rue très calme, assez loin de la ville.

Une maison de campagne dans la Creuse

B **Une nouvelle identité.** Imagine you're someone else. Describe your new family members and their personalities, your house or apartment, and yourself.

Activités de communication écrite

A **Mon arbre généalogique.** Draw your own family tree. Give the names of all your relatives and their relationship to you.

B **Mon parent favori.** On your family tree, circle the name of your favorite relative and write a short paragraph about him or her. Be sure to include the following information.

1. name
2. relationship to you
3. age
4. physical description
5. personality
6. what he or she likes to do and doesn't like to do

Réintroduction et recombinaison

A **À votre tour.** Donnez des réponses personnelles. (*Give your own answers.*)

1. Tu es élève dans une école primaire?
2. Les élèves dans ton cours de français sont intelligents?
3. Tu as des cours le samedi?
4. Tes copains et toi, vous étudiez quelles matières?
5. Tes parents adorent écouter de la musique rock? Et toi?
6. Où est-ce que tu regardes la télé?
7. Tu invites des copains pendant le week-end?

B **Ma famille et ma maison.** Complétez. (*Complete with your own answers.*)

1. Il y a ___ personnes dans ma famille.
2. Je ressemble à ___.
3. J'ai ___ ans.
4. Nous habitons à ___.
5. Notre maison (appartement) a ___ pièces.
6. Ma pièce favorite est ___.
7. Dans ma chambre, il y a ___ et ___.

Vocabulaire

NOMS

la famille
le père
la mère
les parents (m.)
la femme
le mari
l'enfant (m.)
le fils
la fille
la grand-mère
le grand-père
les grands-parents
le petit-fils
la petite-fille
l'oncle (m.)
la tante
le cousin
la cousine
le neveu
la nièce
le chat
le chien

la maison
l'appartement (m.)
l'immeuble (m.)
l'ascenseur (m.)
le balcon
la cour
l'entrée (f.)
l'étage (m.)
le rez-de-chaussée
la pièce
les toilettes (f.)
la salle de bains
la chambre à coucher
la cuisine
le dîner
la salle à manger
la salle de séjour
le garage
la voiture
le jardin
la terrasse
le voisin
la voisine

le métro
la station de métro
le quartier

l'âge (m.)
l'année (f.)
la date
l'anniversaire (m.)

le mois
janvier
février
mars
avril
mai
juin
juillet
août
septembre
octobre
novembre
décembre

ADJECTIFS

beau (bel), belle
nouveau (nouvel), nouvelle
vieux (vieil), vieille
joli(e)
jeune
premier, première
deuxième
troisième

VERBES

avoir
bavarder
dîner
préparer

AUTRES MOTS ET EXPRESSIONS

avoir... ans
il y a
loin de
près de

LE MONDE FRANCOPHONE

LES PAYS

Le français est une langue importante. Plus de 120.000.000 (cent vingt millions) de personnes parlent français dans le monde: en Europe, en Amérique du Nord, en Amérique du Sud, en Afrique et en Asie. Incroyable!

Regardez la carte du monde à la page 506. Identifiez les pays francophones.

On parle français dans beaucoup de pays. Pourquoi? Parce que, pendant 300 ans, la France explore et colonise une grande partie du monde. Aujourd'hui on continue à parler français dans un grand nombre d'ex-colonies françaises et dans certains pays européens proches de la France.

L'EUROPE

1 De ces immeubles à Dinant, en Belgique, il y a une très belle vue sur la Meuse. En Belgique on parle deux langues. Au sud les Wallons parlent français et au nord les Flamands parlent néerlandais (flamand).

2 En Suisse il y a trois langues officielles: l'allemand, le français et l'italien. À Lausanne, sur le Lac Léman, on parle français.

L'AFRIQUE

3 Abidjan est la ville principale de la Côte d'Ivoire, en Afrique occidentale. Abidjan est un port très actif. C'est aussi une ville moderne de plus d'un million d'habitants. Beaucoup d'Abidjanais habitent dans des immeubles modernes. Ces grands immeubles ont plus de 20 étages.

4 Voilà des Haoussas devant une maison typique du Niger, un autre pays de l'Afrique occidentale. Les Haoussas sont des cultivateurs, des artisans et des commerçants. Ils habitent la frontière Niger-Nigeria.

5 Il y a de la *neige* en Afrique? Mais oui! Voilà une vue superbe de la vallée d'Ourika au pied de l'Atlas, une chaîne de montagnes en Afrique du Nord. Ce petit village isolé est situé au Maroc. Remarquez le minaret de la mosquée. Les Marocains, qui parlent arabe et français, sont des musulmans.

6 L'île Maurice est dans l'océan Indien à l'est de Madagascar. Ces petites Mauriciennes sont dans la cour d'une école primaire à Port-Louis, la capitale de l'île Maurice. Ici on parle deux langues: le français et l'anglais.

LE MONDE FRANCOPHONE

L'AMÉRIQUE DU NORD

7 Le Château Frontenac est un hôtel superbe à Québec, ville fondée par l'explorateur français Champlain en 1608. Le Château Frontenac porte le nom du comte de Frontenac, gouverneur au 17ème siècle de la Nouvelle-France, aujourd'hui le Canada. Québec est la capitale de la province canadienne du Québec. Ces maisons pittoresques sont dans la vieille ville.

8 La Nouvelle-Orléans est une très jolie ville de la Louisiane. Le quartier français est un quartier touristique de la ville. L'influence française est très forte en Louisiane. Beaucoup d'Acadiens (c'est-à-dire, des Français), expulsés du Canada par les Anglais en 1755, vont en Louisiane qui est encore un territoire français.

LES ANTILLES

9 Haïti, une île dans la mer des Caraïbes, est une république indépendante. C'est la seule république noire de notre hémisphère. Les Haïtiens parlent français et créole. Beaucoup d'Haïtiens habitent dans des choucounes. Les choucounes sont des maisons typiques des régions rurales du pays.

10 La Martinique est une belle île francophone située tout près des États-Unis dans la mer des Caraïbes. Ces yoles rondes à Grand-Rivière sont les bateaux typiques des pêcheurs *(fishermen)* martiniquais. Les couleurs vives sont très jolies, n'est-ce pas?

LA POLYNÉSIE FRANÇAISE

11 Bora Bora est une île volcanique en Polynésie française, un territoire français d'outre-mer du Pacifique Sud. Cette famille polynésienne rentre à la maison dans un petit canoë décoré de palmes.

LE MONDE FRANCOPHONE

RÉVISION

CHAPITRES 1–4

Conversation *Paul est français.*

ANNICK: Paul, tu es canadien ou français?
PAUL: Moi, je suis français.
ANNICK: Tu habites à Paris?
PAUL: Non, je n'habite pas à Paris. J'habite à Toulouse.
ANNICK: Tu as une grande famille?
PAUL: Oui, ma famille est grande. Nous sommes six.
ANNICK: Ta famille habite dans une maison ou dans un appartement?
PAUL: Nous avons une maison.

A **Paul et sa famille.** Complétez d'après la conversation. (*Complete according to the conversation.*)

1. Paul ___ français.
2. Il n'est pas ___.
3. Il habite à ___.
4. Il ___ à Paris.
5. Il n'a pas une petite famille. Il a une ___ famille.
6. Il y a six personnes dans ___ famille.
7. Paul et sa famille n'ont pas ___. Ils ___ une maison.

Structure

Les verbes en *-er*

Review the following forms of regular *-er* verbs.

ÉTUDIER	
j' étudie	nous étudions
tu étudies	vous étudiez
il/elle/on étudie	ils/elles étudient

A **A la fête.** Choisissez un verbe pour compléter les phrases.
(Choose a verb to complete the sentences.)

aimer	étudier	parler
chanter	gagner	regarder
danser	inviter	travailler

1. Alain et Catherine ___ vraiment bien ensemble.
2. Du courage! J'___ Marie-Claire à danser.
3. J'aime beaucoup cette cassette. Qui ___?
4. Nous ___ beaucoup la musique classique.
5. Vous ___ la télé?
6. Où est Véronique? Elle ___ au téléphone?
7. Olivier et Philippe ne sont pas là. Olivier a un examen, alors il ___. Philippe ___ au magasin de disques.
8. Il ___ beaucoup d'argent.
9. Tu ___ à mi-temps? Tu ___ beaucoup d'argent?

Les verbes *avoir* et *être*

Review the following forms of the irregular verbs *avoir* and *être*.

AVOIR	
j' ai	nous avons
tu as	vous avez
il/elle/on a	ils/elles ont

ÊTRE	
je suis	nous sommes
tu es	vous êtes
il/elle/on est	ils/elles sont

B **Ma famille.** Complétez avec *avoir* ou *être*. *(Complete with* avoir *or* être.)

Dans ma famille nous ___ cinq. Il y ___ mon père, ma mère, mon frère
$\quad\quad\quad$ 1 $\quad\quad\quad$ 2

Christophe, ma sœur Stéphanie et moi. Moi, j'___ quatorze ans, mon frère ___
$\quad\quad\quad$ 3 $\quad\quad\quad$ 4

dix-sept ans et ma sœur ___ dix-huit ans. Mon frère ___ sympa. Ma sœur
$\quad\quad\quad$ 5 $\quad\quad\quad$ 6

aussi, et elle ___ beaucoup d'amis, alors elle n'___ pas souvent à la maison.
$\quad\quad$ 7 $\quad\quad$ 8

Nous ___ des parents sympathiques. Je ___ content. J'___ une famille très
$\quad$ 9 $\quad\quad$ 10 $\quad\quad$ 11

chouette. Tu ___ content(e) aussi?
$\quad\quad$ 12

Les articles et les adjectifs

1. Review the following forms of the indefinite and definite articles.

un garçon	une fille	un(e) ami(e)	des enfants
le garçon	la fille	l'ami(e)	les enfants

2. Adjectives that end in a consonant have four forms.

Le garçon est blond. **La fille est blonde.**
Les garçons sont blonds. **Les filles sont blondes.**

3. Adjectives that end in *e* have only two forms, singular and plural.

un ami sympathique **une amie sympathique**
des amis sympathiques **des amies sympathiques**

C **La famille de Christian.** Complétez avec *un, une* ou *des*. (*Complete with* un, une, *or* des.)

1. Christian a une grande famille. Il a ___ père et ___ mère.
2. ___ frères et ___ sœurs? Oui, il a trois frères et quatre sœurs.
3. Il a aussi sept cousins, mais ___ seule cousine.
4. Il a ___ chien, Médor, et ___ chat, Minouche.
5. Christian et sa famille habitent dans ___ petite maison à Pontchartrain.
6. Pontchartrain est ___ village, ou ___ petite ville, près de Paris.
7. Christian est élève dans ___ lycée de la région.
8. C'est ___ élève excellent.

D **Sa sœur aussi.** Répondez d'après le modèle. (*Answer according to the model.*)

Il est très intelligent.
Sa sœur est très intelligente aussi!

1. Il est content.
2. Il est amusant.
3. Il est sympathique.
4. Il est énergique.
5. Il est très intéressant.
6. Il est brun.

Les adjectifs possessifs

1. Review the following forms of the possessive adjectives.

mon livre	mes livres	ma cassette	mes cassettes
ton cousin	tes cousins	ta cousine	tes cousines
son appartement	ses appartements	sa maison	ses maisons

2. Remember that you use *mon, ton,* and *son* before a masculine or feminine noun beginning with a vowel or a silent *h: mon ami, mon amie.*

E **La famille de Marc.** Complétez. *(Complete.)*

ANNE: Marc, qui est ___ sœur?

MARC: ___ sœur? Je n'ai pas de sœur.

ANNE: Qui est ___ frère alors?

MARC: ___ frère? Je n'ai pas de frère. Je suis enfant unique. ___ parents n'ont pas d'autres enfants.

Marc n'a pas de sœur et il n'a pas de frère. ___ famille est très petite. Ils sont trois. ___ parents ont un seul fils, c'est Marc. ___ mère et ___ père adorent Marc.

Activités de communication orale et écrite

A **Un(e) jeune Français(e).** Imagine a French teenager. Describe him or her as well as his or her family and house or apartment.

B **Un(e) ami(e).** Describe one of your friends and his or her family and house or apartment.

C **Une conversation.** Imagine that the friend you described in *Activité B* and the French teenager in *Activité A* meet. Write the conversation they might have.

You have seen that French teenagers, like you, study many subjects. In this part of the textbook, we will introduce you to topics related to the subjects you are now studying or may study in the future. Who knows, you may soon have the opportunity to discuss them with some new French-speaking friends.

LES SCIENCES HUMAINES

Avant la lecture

The social sciences are fields that deal with history, human behavior, and social customs and interactions. One important social science is geography, which is the study of the surface of the earth. For a moment, think about the geography of your own state—its rivers, mountains, size, etc.

Lecture

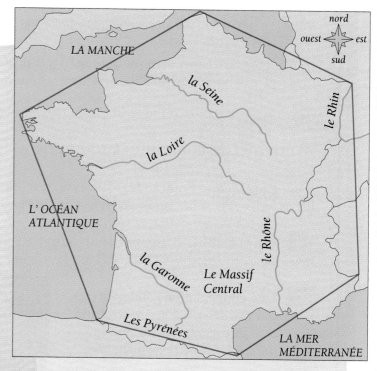

Les sciences humaines étudient l'homme, son histoire, ses institutions et son comportement[1]. La sociologie étudie l'homme et ses rapports avec les autres membres de la société: la famille, le mariage, le divorce. L'anthropologie étudie l'homme, ses coutumes, son travail, ses cérémonies. L'histoire étudie le passé[2]. La géographie étudie la surface de la terre[3], des États-Unis ou de la France, par exemple.

Quand on parle de la France on utilise le mot «hexagone». Un hexagone est une forme géométrique qui a six côtés. La France est très bien située, en pleine zone tempérée (latitude entre[4] le 42e et le 51e parallèle Nord, longitude entre le 5e méridien Ouest et le 8e méridien Est).

La France n'est pas un grand pays; elle a une superficie de 551 695 km^2, mais elle a des paysages[5] très variés. Au sud-est et au sud il y a de très hautes montagnes, les Alpes et les Pyrénées. À l'ouest et au nord il y a des plaines. Au centre on trouve des plateaux et des montagnes pas très hautes, le Massif Central.

La France a cinq fleuves[6]. Le Rhin est la frontière entre l'Allemagne et la France. La Seine est un fleuve calme qui passe par Paris; la Loire est un fleuve très long; la Garonne est un fleuve «violent» et le Rhône est une grande source d'énergie électrique. Trouvez ces fleuves sur la carte. La France a des mers[7] sur trois des six côtés de l'hexagone. Trouvez les mers sur la carte—la Manche, l'océan Atlantique et la mer Méditerranée.

SCIENCES

La France est un vieux pays, mais c'est aussi un pays très moderne qui occupe une place importante dans le monde.

1 comportement *behavior*
2 passé *past*
3 terre *earth*
4 entre *between*
5 paysages *landscapes*
6 fleuves *rivers*
7 mers *seas*

Un paysage d'hiver en Haute-Savoie

Strasbourg, en Alsace

Un port de pêche en Bretagne

Des vignobles en Bourgogne

Après la lecture

A **La géographie.** Vrai ou faux?

1. La France est un pays très grand.
2. Il y a cinq fleuves en France.
3. La France a des paysages très variés.
4. La France est un vieux pays.
5. La France n'est pas un pays moderne.

B **En Amérique du Nord.** Répondez.

1. Nommez deux ou trois fleuves américains.
2. Quelles sont les montagnes qui séparent l'est de l'ouest?
3. En quoi sont divisés les États-Unis?
4. Nommez des grandes villes.
5. Quels sont les océans?

C **Votre état.** Vous décrivez votre état à des amis français. Dites où sont les montagnes, les plaines, les grandes villes, les fleuves, les lacs, etc.

LES SCIENCES NATURELLES

Avant la lecture

The natural sciences are divided into three major categories—physics, chemistry, and biology. Each of these can be divided into subcategories. List as many subcategories and subspecialties as you can.

Lecture

Les sciences naturelles incluent la biologie, la physique et la chimie. La biologie, c'est la science de la vie[1] sous toutes ses formes. En biologie, il y a plusieurs catégories importantes: l'anatomie, la zoologie et la botanique. L'anatomie étudie le corps humain, la zoologie étudie les animaux et la botanique étudie les plantes.

La physique étudie la matière et l'énergie. La chimie étudie les caractéristiques des éléments.

Où travaillent les savants[2]? Dans un laboratoire, bien sûr, et un de leurs instruments indispensables est le microscope.

[1] vie   *life*
[2] savants   *scientists*

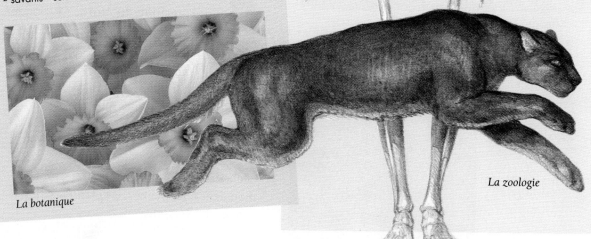

L'anatomie

La zoologie

La botanique

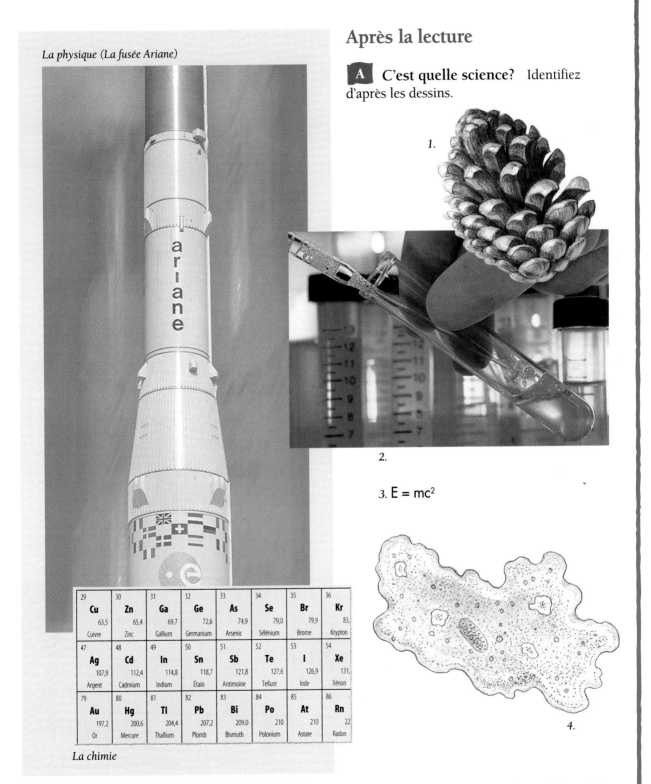

La physique (La fusée Ariane)

Après la lecture

A **C'est quelle science?** Identifiez d'après les dessins.

1.

2.

3. $E = mc^2$

29 Cu 63,5 Cuivre	30 Zn 65,4 Zinc	31 Ga 69,7 Gallium	32 Ge 72,6 Germanium	33 As 74,9 Arsenic	34 Se 79,0 Sélénium	35 Br 79,9 Brome	36 Kr 83, Krypton
47 Ag 107,9 Argent	48 Cd 112,4 Cadmium	49 In 114,8 Indium	50 Sn 118,7 Étain	51 Sb 121,8 Antimoine	52 Te 127,6 Tellure	53 I 126,9 Iode	54 Xe 131, Xénon
79 Au 197,2 Or	80 Hg 200,6 Mercure	81 Tl 204,4 Thallium	82 Pb 207,2 Plomb	83 Bi 209,0 Bismuth	84 Po 210 Polonium	85 At 210 Astate	86 Rn 22 Radon

La chimie

4.

LES BEAUX-ARTS

Avant la lecture

1. In your opinion, who are the best American painters and writers?
2. Do you know any French artists or writers? Which ones?

Lecture

Les Beaux-Arts, c'est le nom donné aux arts plastiques, c'est-à-dire, la peinture, la sculpture et l'architecture. Mais on inclut aussi souvent la musique, la danse et le théâtre. Les Beaux-Arts et les activités culturelles intéressent beaucoup les Français. Et il y a beaucoup de Français célèbres dans tous les domaines artistiques. En voici quelques exemples.

LA SCULPTURE
Auguste Rodin: «Le Penseur»

L'ARCHITECTURE
Pierre Lescot: Le Louvre

LA PEINTURE
Marc Chagall: «La Promenade»

LA MUSIQUE
Jacques Offenbach: «Les Contes d'Hoffmann»

LE THÉÂTRE
Molière: «Le Bourgeois gentilhomme»
(tableau de William Powell Frith)

LA POÉSIE
«Victor Hugo» par Bonnat

Après la lecture

A **D'autres Américains et Français célèbres.** Faites des recherches.

1. Trouvez un Américain ou une Américaine célèbre pour chacune des catégories ci-dessus (*above*).
2. Trouvez un autre Français ou une autre Française pour ces mêmes catégories.

5

AU CAFÉ ET AU RESTAURANT

OBJECTIFS

In this chapter you will learn to do the following:

1. order food or a beverage at a café or restaurant
2. give your phone number
3. tell or ask where people go
4. ask someone how he or she is
5. give locations
6. tell what belongs to you and others
7. tell what you or others are going to do
8. compare some American and French dining habits

VOCABULAIRE

MOTS 1

À LA TERRASSE D'UN CAFÉ

une table prise

trouver une table

une table libre

chercher une table

Guillaume va au café.
Il va au café avec Marie-France.
Les deux copains vont au café ensemble.

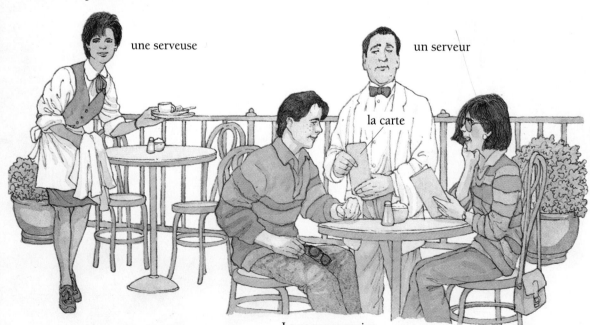

une serveuse

un serveur

la carte

Le serveur arrive.
Il donne la carte à Guillaume et à Marie-France.

Vous désirez?

Un coca, s'il vous plaît.

Guillaume commande une boisson.

Marie-France regarde la carte.

J'ai soif. Je voudrais un coca.

un café (un express)   un crème   un Orangina

un citron pressé   un thé citron

J'ai faim. Je voudrais quelque chose à manger.

un sandwich au jambon   un sandwich au fromage   un sandwich au pâté   un croque-monsieur

une soupe à l'oignon   une omelette nature   une omelette aux fines herbes

une salade   une saucisse de Francfort   une glace au chocolat   une glace à la vanille

des frites   une crêpe au chocolat

Exercices

A **Tu as faim ou soif?**   Choisissez d'après le modèle. (*Choose according to the model.*)

> une salade
> *J'ai faim.*
> un coca
> *J'ai soif.*

1. un citron pressé
2. un thé citron
3. un sandwich au jambon
4. une soupe à l'oignon
5. un croque-monsieur
6. un Orangina

7. un crème
8. une saucisse de Francfort
9. une omelette nature
10. une glace à la vanille
11. une crêpe au chocolat

B **Au café.**   Répondez. (*Answer.*)

1. Guillaume et Marie-France sont copains?
2. Après les cours Guillaume va au café?
3. Marie-France va au café aussi?
4. Ils vont au café ensemble?
5. Ils cherchent une table?

6. Ils trouvent une table libre?
7. Le serveur arrive?
8. Il a la carte?
9. Marie-France regarde la carte?
10. Guillaume, qu'est-ce qu'il commande?

C **Un café typique.**   Répondez d'après le dessin. (*Answer according to the illustration.*)

1. Les tables sont à la terrasse ou à l'intérieur du café?
2. La table est prise ou libre?
3. Qui commande, le serveur ou les clients?
4. La jeune fille commande un citron pressé ou un express?
5. Elle commande une boisson et quelque chose à manger?
6. Son copain commande une omelette ou un sandwich au jambon?
7. Il a faim ou soif?
8. Il commande une boisson ou quelque chose à manger?
9. Elle préfère la glace au chocolat, pas la glace à la vanille. Elle commande quel parfum?

VOCABULAIRE

MOTS 2

AU RESTAURANT

Charles va au restaurant.
Il ne va pas au restaurant tout seul.
Il y va avec ses copains.
Ils y vont à pied.

Ils arrivent au restaurant.
Charles parle au maître d'hôtel.

Vous avez notre table?

Ah oui, Monsieur. J'ai votre table.

LE COUVERT

un verre
une tasse
une assiette
une nappe
une serviette
une fourchette
un couteau
une cuillère

Vous aimez le steak comment?

saignant

à point

bien cuit

Charles déjeune à midi.

un steak frites

Le service est compris.

Aux Lyonnais

2 crêpes   48.00
1 café   10.00
1 thé   10.00
Service 15%   10.00
Total   78.00

C'est le soir.
On dîne.

L'addition, s'il vous plaît.

laisser un pourboire

LES NOMBRES DE SOIXANTE ET UN À CENT (61–100)		
61 soixante et un	80 quatre-vingts	90 quatre-vingt-dix
62 soixante-deux…	81 quatre-vingt-un	91 quatre-vingt-onze
69 soixante-neuf	82 quatre-vingt-deux	92 quatre-vingt-douze
70 soixante-dix	83 quatre-vingt-trois	93 quatre-vingt-treize
71 soixante et onze	84 quatre-vingt-quatre	94 quatre-vingt-quatorze
72 soixante-douze	85 quatre-vingt-cinq	95 quatre-vingt-quinze
73 soixante-treize	86 quatre-vingt-six	96 quatre-vingt-seize
74 soixante-quatorze	87 quatre-vingt-sept	97 quatre-vingt-dix-sept
75 soixante-quinze	88 quatre-vingt-huit	98 quatre-vingt-dix-huit
76 soixante-seize	89 quatre-vingt-neuf	99 quatre-vingt-dix-neuf
77 soixante-dix-sept		100 cent
78 soixante-dix-huit		
79 soixante-dix-neuf		

Exercices

A **Qu'est-ce que c'est?** Identifiez. *(Identify.)*

B **On arrive au restaurant.** Choisissez la bonne réponse. *(Choose the correct answer.)*

1. Charles ne va pas au restaurant tout seul. Il y va ___.
   a. avec ses copains   b. avec le serveur   c. avec son prof

2. Ils arrivent au restaurant. Charles parle ___.
   a. au serveur   b. au chef de cuisine   c. au maître d'hôtel

3. Charles et ses copains vont ___.
   a. à une table   b. à la salle à manger   c. à la cuisine

4. Les copains de Charles regardent ___.
   a. le pourboire   b. le café   c. la carte

5. Le service est compris. Mais Charles laisse ___ pour le serveur.
   a. une addition   b. un pourboire   c. un verre

C **Personnellement.** Donnez des réponses personnelles. *(Give your own answers.)*

1. Tu as faim maintenant?
2. Tu aimes manger?
3. Tu aimes aller au restaurant?
4. En général, tu déjeunes à quelle heure?
5. Tu regardes la carte au restaurant?
6. Qu'est-ce que tu commandes?
7. Tu aimes le steak comment?
8. Tu demandes l'addition?
9. Le service est compris aux États-Unis?
10. Tu laisses un pourboire?

D **En bus ou à pied?** Dites comment les élèves vont à l'école. *(Tell how the students go to school.)*

1. en bus   2. en voiture   3. à pied   4. en métro

E **Renseignements, bonjour.**
Demandez le numéro de téléphone du
restaurant d'après le modèle. (*Ask for
the phone number of each restaurant
according to the model.*)

«Chez Pauline»
Élève 1: Quel est le numéro de
téléphone de «Chez Pauline»,
s'il vous plaît?
Élève 2: C'est le 78.84.65.91.

1. L'Éléphant   4. Le Liberté
2. Le Lion   5. Le Longchamp
3. Le Loft

2504 restaurants

Restaurants (suite)

LE LAUMIÈRE

voir annonce même page

4 r Petit
75019 Paris - - - - - - - (1) 42 02 46 71

LE LAZARE 68 r Quincampoix 3ᵉ (1)48 87 99 34
L'ÉLÉPHANT 10 r Trésor 4ᵉ - (1)42 76 08 06
LE LIBAN A LA MOUFFETARD
    16 r Mouffetard 5ᵉ - - - -(1)47 07 30 72
LE LIBERTÉ 35 r Sibuet 12ᵉ - -(1)43 44 80 79
**LE LIMOURS
RESTAURANT-LEFÈVRE**
    7 pl Denfert Rochereau 14ᵉ - ✶(1)43 27 20 66
LE LION (Sté Le Barbecue de la Tour)
    23 r Duvivier 7ᵉ - - - - - -(1)45 51 41 77
LE LITEAU 14 r Washington 8ᵉ - (1)42 89 90 43
LE LOFT 95 bd St Michel 5ᵉ - - (1)46 34 29 95
L'ÉLOGE DE LA FOLIE
    37 bis r Montpensier 1ᵉʳ - - (1)42 96 08 42
L'ÉLOGE DE LA FOLIE
    37 B r Montpensier 1ᵉʳ - - - -(1)42 96 25 49
LE LONGCHAMP
    5 r Serg Bauchat 12ᵉ - - - - -(1)43 43 49 39

LE MANDARIN DE RAMBUTEAU
    11 r Rambuteau 4ᵉ - - - - -(1)42 72 87 22

**LE MANDARIN DE LA
TOUR MAUBOURG**

SPECIALITES CHINOISES
CUISINE RAFFINEE SALLE CLIMATISEE

23 bd Latour Maubourg
75007 Paris - - - - - (1) 45 51 25 71

LE MANDARIN DE LA TOUR
    MAUBOURG
    23 bd Latour Maubourg 7ᵉ - -(1)45 51 25 71
LE MANGE TARD
    17 r Jouffroy 17ᵉ - - - - - -(1)46 22 12 38
LE MANGE TOUT
    24 bd Bastille 12ᵉ - - - - - (1)43 43 95 15
LE MANGUIER
    67 av Parmentier 11ᵉ - - - -(1)48 07 03 27
LE MANOIR DE PARIS
    — 6 r Pierre Demours 17ᵉ - -(1)45 72 25 25
    — 6 r Pierre Demours 17ᵉ - -(1)45 74 80 98
    Télécopieur
LE MARAICHER
    5 r Beautreillis 4ᵉ - - - - - -(1)42 71 42 49
LE MARAICHER

Activités de communication orale
Mots 1 et 2

A **A mon avis...** Make a chart like the one below. Put an *x* under the
heading that best describes your opinion of each of the foods listed.

	J'adore	J'aime assez	Je déteste
1. le pâté			x
2. la pizza	x		
3. la glace au chocolat			
4. la soupe à l'oignon			
5. le café			
6. l'omelette nature			
7. les frites			
8. le fromage			
9. les saucisses de Francfort			

Now compare your chart with a classmate's and see if they're similar. Follow the
model below.

Élève 1: Moi, j'adore le pâté. Et toi?
Élève 2: Moi, je déteste le pâté.

B **Au restaurant.** You and your classmates, accompanied by your teacher,
go to a local French restaurant and order your meal in French.

STRUCTURE

Le verbe *aller* au présent

Telling and Asking Where People Go; Asking How Someone Is

1. All verbs that end in *-er* are regular verbs, with one exception. That exception is the verb *aller,* "to go."

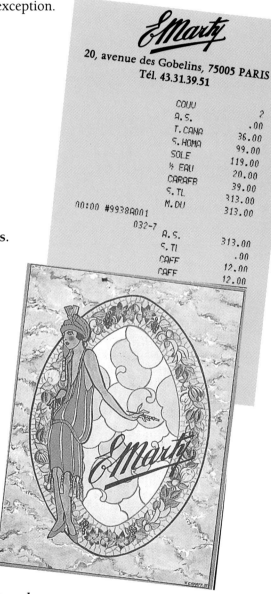

ALLER	
je vais	nous allons
tu vas	vous allez
il elle }va on	ils elles }vont

Je vais au café et mon petit frère va à l'école.
Tu vas à la fête de ta copine?
Nous n'allons pas à Paris pendant les vacances.
Vous allez au café après les cours mais elles
vont à la maison.

2. You also use *aller* to ask how someone is. You have already learned *Ça va*. Here are other ways to ask how a person is and some possible responses.

Comment vas-tu?
Pas mal, merci. Et toi?

Comment allez-vous?
Je vais très bien, merci. Et vous?

3. You will often use the word *y* (referring to a place already mentioned) with the verb *aller.* If you use the verb *aller* without mentioning the place you are going to, you must put *y* in front of the verb. *Aller* cannot stand alone.

Tu vas au restaurant?
Oui, j'y vais.
Et Robert y va aussi.
Mais il n'y va pas avec ses copains. Il y va tout seul.

4. *On y va* is a very useful expression. It can mean "Let's get going," "Let's go," or, as a question, "Do you want to go?"

5. Question words such as *où, quand, comment, avec qui* can be used with *est-ce que* or with the subject and verb inverted.

Où *est-ce que* tu vas?	Je vais au café.
Où vas-tu?	Je vais au café.
Quand *est-ce que* tu vas au café?	J'y vais demain.
Quand vas-tu au café?	J'y vais demain.

6. The words *toujours* (always), *souvent* (often), *quelquefois* (sometimes), and *maintenant* (now) are frequently used with the verb *aller.*

> Je vais toujours au café le mardi.
> Ton copain y va souvent aussi?
> Non, pas souvent. Mais il y va quelquefois.
> Et nous y allons maintenant.

Exercices

A   Au restaurant!   Répétez la conversation avec un copain ou une copine. (*Practice the conversation with a classmate.*)

SIMONE:	Salut, Paul. Comment vas-tu?
PAUL:	Pas mal, et toi?
SIMONE:	Très bien, merci. Où vas-tu maintenant?
PAUL:	Je vais au Café de Flore.
SIMONE:	Tu y vas tout seul?
PAUL:	Oui. On y va ensemble?
SIMONE:	Pourquoi pas?

Complétez d'après la conversation. (*Complete according to the conversation.*)

1. Simone ___ très bien.
2. Où ___ Paul?
3. Il ___ au Café de Flore.
4. Il n'y ___ pas tout seul.
5. Son amie Simone y ___ aussi.
6. Les deux copains y ___ ensemble.
7. Ils y ___ à pied, pas en métro.

B   Tu vas au restaurant?   Donnez des réponses personnelles. (*Give your own answers.*)

1. Tu vas souvent au restaurant?
2. Avec qui est-ce que tu vas au restaurant? Avec ta famille?
3. Tu vas quelquefois dans un restaurant français, italien ou chinois?
4. Tu vas toujours au même restaurant?
5. Quand est-ce que tu vas au restaurant?

C **Tes copains et toi.** Donnez des réponses personnelles.
(Give your own answers.)

1. Tes copains et toi, vous allez à l'école?
2. Vous allez à quelle école?
3. Vous allez à l'école à quelle heure?
4. Vous allez à l'école comment? À pied, en bus, en voiture ou en métro?
5. Après les cours vous allez au café?

D **On va dîner au restaurant.** Complétez la conversation. *(Complete the conversation.)*

ANNE: Ce soir je ___ dîner au restaurant «La Bonne Fourchette». J'y ___ toute seule.

PATRICK: Tu ___ à «La Bonne Fourchette»? C'est une excellente idée. On y ___ ensemble?

ANNE: Pourquoi pas? Mais on y ___ à pied ou en bus?

PATRICK: En bus? Tu rigoles! On y ___ en voiture! J'ai une nouvelle voiture.

ANNE: Elle est super, ta nouvelle voiture. Mais tu ne ___ pas trouver de place libre dans le parking.

Les contractions avec *à* et *de*   *Giving Locations; Telling What Belongs to Others*

1. The preposition *à* can mean "to," "in," or "at." *À* is contracted with *le* and *les* to form one word. *À* + *le* becomes *au*. *À* + *les* becomes *aux*. The preposition *à* does not change when used with the articles *la* and *l'*.

à + la = à la	Je vais *à la* salle à manger.
à + l' = à l'	J'étudie le français *à l'*école.
à + le = au	Je suis *au* café.
à + les = aux	Je parle *aux* élèves.

You make a liaison with *aux* and any word beginning with a vowel or silent *h*. The *x* is pronounced *z*.

2. You also use the preposition *à* with many food expressions.

　　　　une glace à la vanille et une glace au chocolat
　　　　une soupe à l'oignon
　　　　un sandwich au jambon et au fromage
　　　　une omelette aux fines herbes

3. The following expressions denote place but do not take the preposition *à*.

> **Je vais chez René. (à la maison de René)**
> **Nous allons en ville.**
> **Les élèves vont en classe.**

4. In French the word *de* can mean "of" or "from." Like *à*, the preposition *de* is contracted with *le* and *les* to form one word. *De + le* becomes *du*. *De + les* becomes *des*. The preposition *de* does not change when used with the articles *la* and *l'*.

de + la = de la	*De la* terrasse on a une belle vue.
de + l' = de l'	On va *de l'*école à la maison en bus.
de + le = du	Quelle est votre opinion *du* film?
de + les = des	Ils rentrent *des* magasins à midi.

5. The following expressions of location with *de* contract in the same way: *près de*, *loin de*, *à côté de* (next to), *à gauche de* (to the left of), *à droite de* (to the right of).

> **Le café est près *du* cinéma.**
> **L'immeuble est loin *des* magasins.**

6. You also use the preposition *de* to indicate possession.

> **C'est la moto *de* Marc.**
> **Voici la voiture *du* professeur.**
> **Minou est le chat *des* voisins.**

Exercices

 A Où vas-tu? Donnez des réponses personnelles. (*Give your own answers.*)

1. Tu vas au collège, au lycée ou à l'université?
2. Tu vas au cours de français le matin ou l'après-midi?
3. Tu vas à l'école à quelle heure?
4. Tu vas au cours d'anglais à quelle heure?
5. Après les cours tu vas chez un copain ou une copine?
6. Tu aimes aller au restaurant?

B Je ne vais pas à la fête. Complétez avec «à». (*Complete with* à.)

Ce soir je ne vais pas ___ (le concert). Je ne vais pas ___ (le parc), je ne vais
pas ___ (le lycée), je ne vais pas ___ (le restaurant). Je ne vais pas parler ___
(les copains). Je ne vais pas ___ (la fête) de Suzanne. Je vais aller où alors? Je
vais rentrer ___ (la maison). Pourquoi? Je suis fatigué.

C **Qu'est-ce que tu préfères?** Donnez des réponses personnelles. *(Give your own answers.)*

1. Tu préfères les sandwichs au jambon ou les sandwichs au fromage?
2. Tu préfères les omelettes au fromage ou les omelettes aux fines herbes?
3. Tu préfères la soupe à la tomate ou la soupe à l'oignon?
4. Tu préfères le café ou le thé?
5. Tu préfères la glace au chocolat ou la glace à la vanille?
6. Tu préfères les crêpes au chocolat ou les crêpes nature?

D **Où est… ?** Regardez le plan du quartier. Posez des questions à un copain ou à une copine d'après le modèle. *(Look at the map and ask a friend questions according to the model.)*

> Élève 1: **Où est le théâtre?**
> Élève 2: **Le théâtre est à gauche du café.**

1. le parc
2. l'école
3. la banque
4. le café
5. le restaurant
6. la discothèque

E **Le dîner des élèves.** Combinez d'après le modèle. *(Combine according to the model.)*

> c'est la voiture / les parents de Vincent
> *C'est la voiture des parents de Vincent.*

1. je vais à la table / les amis de Marc
2. ils sont à la terrasse / le café
3. nous regardons la carte / le restaurant
4. le sac à dos / l'élève est sur la chaise
5. c'est le pourboire / la serveuse

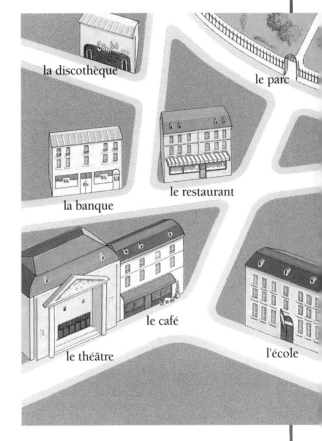

Le futur proche

Telling What You or Others Are Going to Do

1. You use the verb *aller* followed by an infinitive to tell what you or others are going to do in the near future.

> **Demain Claude va donner une fête.**
> **Samedi soir il va inviter ses amis à la maison.**
> **Pendant le week-end je vais aller au cinéma.**
> **En décembre on va avoir des vacances.**

2. Note that in negative sentences *ne… pas* goes around the verb *aller.*

> Je *ne* vais *pas* travailler après les cours.
> Ce soir tu *ne* vas *pas* regarder la télé.
> Nous *n*'allons *pas* danser ensemble à la fête.

Exercices

A **Ce soir!** Donnez des réponses personnelles. *(Give your own answers.)*

1. Ce soir tu vas regarder la télé?
2. Tu vas téléphoner à un copain ou à une copine?
3. Tu vas préparer le dîner?
4. Tu vas aller en classe?
5. Tu vas inviter tes professeurs au restaurant?

B **Absurdités.** Mettez à la forme négative. *(Change to the negative.)*

1. Nous allons au cours de français pendant le week-end.
2. Les chiens et les chats vont au cinéma.
3. Demain le/la prof de maths va chanter en français.
4. Vous allez manger pendant le cours d'algèbre.
5. Ce soir je vais parler au téléphone avec Elvis Presley.

Les adjectifs possessifs *notre, votre, leur*

Telling What Belongs to You and Others

1. You have already learned the possessive adjectives *mon, ton,* and *son.* Study the following forms of the possessive adjectives *notre* (our), *votre* (your), and *leur* (their).

MASCULIN SINGULIER	FÉMININ SINGULIER	PLURIEL
notre ami	notre amie	nos ami(e)s
votre ami	votre amie	vos ami(e)s
leur ami	leur amie	leurs ami(e)s

2. The adjectives *notre, votre,* and *leur* are used with both masculine and feminine singular nouns. With plural nouns you use *nos, vos,* and *leurs.*

3. With the plural forms, you make a liaison before a vowel or silent *h.*

Exercices

A   **Notre maison.**   Donnez des réponses personnelles d'après le modèle. *(Give your own answers according to the model.)*

> **Votre voiture est nouvelle ou vieille?**
> *Notre voiture est vieille. (Notre voiture est nouvelle.)*

1. Votre maison ou appartement est grand(e) ou petit(e)?
2. Votre maison ou appartement a combien de pièces?
3. Votre maison ou appartement est en ville?
4. Votre maison ou appartement est près de l'école?
5. Vous avez un chien ou un chat? Votre chien ou chat est adorable?

B   **Nos cours.**   Donnez des réponses personnelles avec «nos». *(Give your own answers with* nos.*)*

1. Vos profs sont sympa?
2. Vos amis sont sincères?
3. Vos cours sont intéressants?
4. Vos cassettes de musique rock sont fantastiques?
5. Vos devoirs sont longs?
6. Vos examens sont difficiles?

C   **Leur maison.**   Complétez avec «leur» ou «leurs». *(Complete with* leur *or* leurs.*)*

Georges et Paul sont frères. Ils sont dans ――― chambre. Ils écoutent ――― cassettes. ――― collection de cassettes est surtout de jazz. ――― amies Catherine et Véronique aiment aussi le jazz. Mais elles préfèrent la musique classique. Elles ont ――― musiciens favoris. ――― copains n'écoutent pas de musique classique. Samedi soir Georges et Paul vont aller au concert de jazz avec ――― parents parce que ――― mère et ――― père adorent le jazz aussi.

139

CONVERSATION

Scènes de la vie   *Au restaurant*

DIDIER: Tu es prête à commander, Marie-Claire?

MARIE-CLAIRE: Non, je vais regarder la carte encore un moment.

SERVEUR: Vous désirez?

DIDIER: Pour moi, le steak frites et une petite salade.

SERVEUR: Et vous aimez le steak comment?

DIDIER: Entre saignant et à point.

SERVEUR: Et pour Madame?

MARIE-CLAIRE: Le menu touristique, s'il vous plaît.

(Après le dîner)

DIDIER: L'addition, s'il vous plaît.

SERVEUR: Oui, Monsieur. J'arrive.

MARIE-CLAIRE: Tu as ta Carte Bleue, Didier?

SERVEUR: Ah Madame, je regrette. La maison n'accepte pas les cartes de crédit.

A **Marie-Claire et Didier.**   Répondez d'après la conversation. (*Answer according to the conversation.*)

1. Où sont Marie-Claire et Didier?
2. Marie-Claire va commander immédiatement?
3. Qu'est-ce qu'elle va regarder?
4. Qu'est-ce que Didier commande?
5. Il aime le steak comment?
6. Qu'est-ce que Marie-Claire commande?
7. Qui arrive avec l'addition?
8. La maison accepte les cartes de crédit?

Prononciation   *Le son /r/*

The French /r/ sound is very different from the American /r/. When you say /r/, the back of your tongue should almost completely block the air going through the back of your throat. Repeat the following words and sentences.

le verre	la nature	la cour	la mère	l'art
la terrasse	le garage	adorer	arriver	terrible

J'adore la littérature, l'art, l'histoire et l'informatique.
Le serveur arrive avec un verre d'Orangina.

verre

Activités de communication orale

A **Le menu touristique.** You've just ordered a *steak frites* in a small restaurant off the Boulevard Saint-Michel in Paris. Answer the waiter's questions.

1. Bon. Un steak frites et une petite salade. Et vous aimez le steak comment?
2. Et comme boisson?
3. Et comme dessert, la glace à la vanille ou les crêpes au chocolat?

B **Pendant le week-end.** Tell a classmate a couple of things you like to do when you're free and find out if he or she likes to do them too. Then say whether you're going to do them over the weekend. Reverse roles.

> Élève 1: Quand je suis libre, j'aime regarder la télé et aller au cinéma. Et toi?
> Élève 2: Moi aussi, j'aime regarder la télé et aller au cinéma. (Non, je n'aime pas regarder la télé, mais j'adore aller au cinéma.)
> Élève 1: Je vais regarder la télé et aller au cinéma pendant le week-end.

C **Les projets.** You and a classmate are making plans for this evening. Choose a place from the list below and see what your friend thinks. Use the model as a guide.

> à la fête de Patrick
>
> Élève 1: On va à la fête de Patrick ce soir?
> Élève 2: D'accord, on y va. J'adore danser. (Non, merci. Je déteste danser.)

> le café
> le cinéma
> le concert
> la discothèque
> chez (le nom d'un[e] ami[e])
> le restaurant français

D **Où est ton restaurant favori?** Name your favorite restaurant. Tell where it's located using some of the following expressions.

> à côté de   derrière
> à droite de   loin de
> à gauche de   près de
> devant

LECTURE ET CULTURE

ON A SOIF ET ON A FAIM

Après les cours Paul va au café. Il y va avec ses copains. Au café ils aiment bien regarder les gens[1] qui passent. Les filles regardent les garçons et les garçons regardent les filles. C'est comme ça partout[2].

Paul n'a pas faim mais il a soif. Il commande un Orangina. Sa copine,

Françoise, a très, très faim. Elle a une faim de loup. Elle commande une omelette au fromage avec des frites.

Paul arrive à la maison. Ce soir ses parents ne vont pas préparer le dîner. Ils sont fatigués, vraiment crevés. Ils vont dîner au restaurant. Ils vont aller au petit restaurant du coin[3]. Mais voilà le pauvre chien, Tango. Il est adorable. Il va rester[4] à la maison tout seul?

Absolument pas! Il va aller au restaurant avec la famille. Il n'y a pas de problème. Il est très bien élevé[5], Tango.

[1] gens *people*
[2] partout *everywhere*
[3] petit restaurant du coin *neighborhood restaurant*
[4] rester *to stay*
[5] bien élevé *well-mannered*

Étude de mots

A **Synonymes.** Récrivez les phrases avec des synonymes. (*Rewrite the sentences using synonyms.*)

1. Il va au café avec *ses amis.*
2. Françoise a *une faim de loup.*
3. *Maman et Papa* ne vont pas préparer le dîner ce soir.
4. Ils sont *crevés.*
5. Le chien *a de bonnes manières.*
6. Ils vont *dans un bon petit restaurant modeste.*

Compréhension

B **Paul et Françoise.** Répondez. (*Answer.*)

1. Quand est-ce que Paul va au café?
2. Il y va avec qui?
3. Qui regarde les garçons?
4. Qui regarde les filles?
5. Ça arrive (*happens*) aux États-Unis ou uniquement en France?
6. Paul a faim ou soif?
7. Qu'est-ce qu'il commande?
8. Françoise a soif ou faim?
9. Qu'est-ce qu'elle commande?

C **Pas vrai.** Corrigez les phrases. (*Correct the statements.*)

1. Un Orangina est quelque chose à manger.
2. Une omelette est une boisson.
3. Ce soir Papa va préparer le dîner.
4. Paul et ses parents vont dîner à la maison.
5. Ils vont dîner dans un grand restaurant.
6. Tango est un chat.
7. Tango va rester à la maison tout seul.
8. Le chien n'est pas bien élevé.

D **Au restaurant en France.** Trouvez le renseignement suivant. (*Find the following information.*)

In this reading selection, you learned a cultural difference between the United States and France. What is that difference?

DÉCOUVERTE CULTURELLE

En France on dîne vers[1] sept heures et demie ou huit heures. Si on va dîner au restaurant, on arrive au restaurant entre huit heures et dix heures.

En France, le lait c'est pour les enfants, pas pour les adultes. On sert le café après le dessert, pas avec le repas. On sert du vin avec le repas—du vin rouge ou du vin blanc[2]. On place le pain sur la nappe à côté de l'assiette, pas sur une assiette spéciale.

En général au déjeuner ou au dîner on ne mange pas de beurre[3] avec le pain.

[1] vers   *around*
[2] du vin rouge ou du vin blanc   *red or white wine*
[3] beurre   *butter*

RÉALITÉS

1

2

3

La France est vraiment un pays gastronomique. Il y a beaucoup de genres différents de restaurants en France.

Ces gens sont à la terrasse d'un petit restaurant **1**.

Il y a des crêperies partout en France **2**.

On mange bien dans les grands restaurants gastronomiques comme Le Train Bleu dans la Gare de Lyon **3**.

Une brasserie est un excellent choix pour un repas simple et rapide et pas très cher **4**.

Il y a aussi des restaurants fast-food comme McDonald's en France **5**.

4

Flambées

MARRONS GRILLÉS

McDonald's

145

CULMINATION

Activités de communication orale

A **Tu vas où?** Work with a classmate. Look at the following list of places, then take turns telling each other when you're going to each place, how you're going to get there, and who you're going with.

le concert de rock	le parc	le restaurant fast-food
le cinéma	le restaurant	le café

B **Au café.** Work in groups of three. You and another classmate are having a leisurely conversation in a café. The waiter or waitress (the third person) has to interrupt you once in a while to wait on you.

Activités de communication écrite

A **R.S.V.P.** The French club, *le Cercle français*, is giving a party after school. Design an invitation to send to your classmates. On your invitation include the following information.

1. the date of your party   3. the place
2. the time of your party   4. the French menu

B **Test: La nourriture et toi.** Take the following test to see what it reveals about your interest in food. Compare results with a classmate.

1. En général je préfère manger dans ___.
   a. les restaurants fast-food   b. les restaurants gastronomiques
2. Quand j'ai faim, l'essentiel c'est ___.
   a. la quantité   b. la qualité
3. Je préfère ___.
   a. les saucisses de Francfort   b. le pâté
4. Je préfère manger mon steak ___.
   a. sur une assiette en plastique   b. sur une belle assiette
5. Je préfère dîner ___.
   a. dans la cuisine   b. dans la salle à manger

If you answered *b* most of the time, you are a *gourmet*, a person who appreciates good food in a nice setting. If you answered *a* most of the time, you are a *gourmand*, someone who just likes to eat a lot.

POUR COMMANDER, RIEN DE PLUS SIMPLE!

LIVRAISON A DOMICILE
ALLO PIZZA EXPRESS
45 26 94 94

Allo Pizza!

ESSAYEZ-LA !

Réintroduction et recombinaison

A **Faim ou soif?** Complétez. *(Complete.)*

1. J'___ soif. Je ___ commander un Orangina.
2. J'___ faim. Je ___ commander quelque chose à manger.
3. Si tu ___ soif, je propose un citron pressé.
4. Si tu ___ faim, je propose un sandwich au
   jambon ou une omelette au fromage.
5. On ___ faim. On ___ dîner.

Vocabulaire

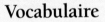

NOMS

le restaurant
le café (*café*)
le maître d'hôtel
le serveur
la serveuse
la carte
l'addition (f.)
le service compris
le pourboire
la terrasse

le couvert
l'assiette (f.)
le couteau
la cuillère
la fourchette
la serviette
la nappe
la tasse
le verre

la boisson
le café (*coffee*)
le crème
l'express (m.)

le citron pressé
le thé citron
le coca
l'Orangina (m.)

la crêpe
le croque-monsieur
les frites (f.)
le fromage
le jambon
le steak frites
   saignant
   à point
   bien cuit
l'omelette (f.)
   aux fines herbes
   nature
le pâté
la salade
le sandwich
la saucisse de Francfort
la soupe à l'oignon
la glace
   à la vanille
   au chocolat

ADJECTIFS

pris(e)

ADVERBES

ensemble
maintenant
quelquefois
souvent
toujours

VERBES

aller
chercher
commander
déjeuner
laisser
manger
trouver

**AUTRES MOTS
ET EXPRESSIONS**

avoir faim
avoir soif
je voudrais
quelque chose
à côté de
à droite de
à gauche de
chez
tout(e) seul(e)
à pied
en bus
en métro
en voiture

NOMBRES

soixante et un à cent
   (61–100)

CHAPITRE

6

ON FAIT LES COURSES

OBJECTIFS

In this chapter, you will do the following:

1. shop for food in a French-speaking country
2. ask for the quantity you want
3. find out prices
4. express what people don't have or don't do
5. talk or ask about activites you or others do
6. tell things you are able to do
7. tell what you want to do and invite someone to do something
8. contrast some French and American food shopping customs

VOCABULAIRE

MOTS 1

À LA BOULANGERIE-PÂTISSERIE

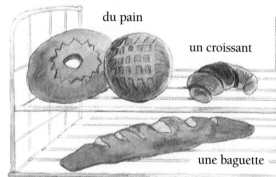

du pain

un croissant

un gâteau

une tarte

une baguette

À LA CRÉMERIE

de la crème   du lait

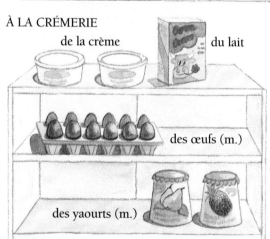

des œufs (m.)

des yaourts (m.)

À LA BOUCHERIE

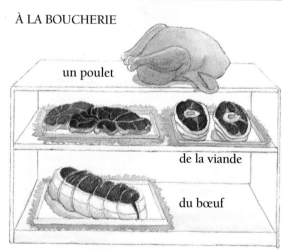

un poulet

de la viande

du bœuf

À LA CHARCUTERIE

du jambon

du saucisson

À LA POISSONNERIE

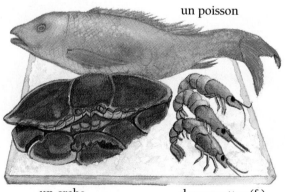

un poisson

un crabe   des crevettes (f.)

Jean fait les courses.
Il fait les courses le matin.
Il ne fait pas ses courses au supermarché.
Il va à la boucherie, à la crémerie et à la
boulangerie-pâtisserie.

un sac

la caisse

un filet

payer

Jean est à la boulangerie.
Il veut du pain.
Il achète une baguette et des croissants.
Il paie à la caisse.

Exercices

A **Jean fait les courses.** Répondez. *(Answer.)*

1. Jean fait les courses?
2. Il fait les courses le matin?
3. Il va au supermarché?
4. Il a un filet?
5. Il va à la boulangerie-pâtisserie?
6. Il veut du pain?
7. Il achète une baguette?
8. Il paie à la caisse?
9. Il paie avec de l'argent?

B **À la crémerie.** Répondez d'après les photos. *(Answer according to the photos.)*

1. C'est la crémerie ou la boucherie?
2. On achète du fromage ou du pain à la crémerie?
3. Madame Lenôtre achète du lait ou du thé?
4. Elle achète des yaourts ou du fromage?
5. Elle va payer à la caisse ou au café?

C **Au supermarché.** Complétez d'après la photo. (*Answer according to the photo.*)

1. On achète du ___.
2. On achète du ___.
3. On achète du ___.
4. On achète du ___.
5. On achète des ___.

D **On va où pour acheter ça?** Complétez. (*Complete.*)

1. On veut du bœuf. On va ___.
2. On veut du lait. On va ___.
3. On veut des croissants et un gâteau. On va ___.
4. On veut de la viande. On va ___.
5. On veut du saucisson et du jambon. On va ___.
6. On veut de la crème et des œufs. On va ___.
7. On veut du poisson et du crabe. On va ___.
8. On veut une baguette. On va ___.

VOCABULAIRE

MOTS 2

AU MARCHÉ

la marchande

le marchand de
fruits et légumes

les fruits (m.)

des bananes (f.)

8^F

des pommes (f.)

10^F

des oranges (f.)

une
laitue

7^F 50

les légumes (m.)

des haricots verts (m.)

des tomates (f.)

des pommes
de terre (f.)

6^F 85

des carottes (f.)

5^F

des oignons (m.)

Carole veut des légumes. Elle est au marché.
Elle va chez le marchand de fruits et légumes.
Elle achète un kilo de carottes et une livre de tomates.
Elle paie la marchande.

un kilo = 1.000 (mille) grammes
une livre = 500 (cinq cents) grammes

À L'ÉPICERIE

un paquet de
légumes surgelés

un pot de moutarde

500 grammes de beurre

un litre de lait

une douzaine d'œufs

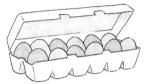

une boîte de conserve

une bouteille
d'eau minérale

Richard est à l'épicerie.
Il veut de l'eau minérale et du lait.
Il achète une bouteille d'eau minérale
   et un litre de lait.

LES NOMBRES DE CENT UN À MILLE (101–1.000)	
101	cent un
102	cent deux
103	cent trois
200	deux cents
201	deux cent un
300	trois cents
301	trois cent un
400	quatre cents
500	cinq cents
600	six cents
700	sept cents
800	huit cents
900	neuf cents
1.000	mille

Note:

1. To ask the price (*le prix*), you use the following expressions.

   C'est combien le bœuf?   **Vingt francs le kilo.**
   C'est combien le beurre? **Huit francs la livre.**

2. To find out how much you owe when you have purchased several items, you ask:

   Ça fait combien?

3. The vendor often asks if you want something else. If you don't, you may use one of the expressions below.

   MARCHAND(E)   CLIENT(E)
   Autre chose?
   Et avec ça?   **Rien d'autre, merci.**
   C'est tout?   **C'est tout.**

Exercices

A **Un fruit ou un légume?** Identifiez d'après le modèle. *(Identify according to the model.)*

C'est une carotte. C'est un légume.

1.   2.   3.   4.   5.   6.

B **Nicole va au marché.** Complétez. *(Complete.)*

Nicole veut préparer une grande salade. Elle va au marché. Elle va chez la ___. (1)
Elle achète une ___, des ___ et des ___. La marchande demande, «Pas (2) (3) (4)
d'oignons aujourd'hui?» Nicole répond: «Non merci, ___ ___ .» Elle donne (5) (6)
de l'argent à la ___. (7)

C **Louis va à l'épicerie.** Complétez. *(Complete.)*

Louis veut de la moutarde, de l'eau minérale, des boîtes de conserve et un paquet de légumes surgelés. Pour acheter tout ça il va à une épicerie. À l'épicerie Louis achète deux ___ d'eau minérale, un ___ de carottes surgelées et trois (1) (2)
___ de sardines. Et quelque chose d'autre—un ___ de moutarde. Louis va à la (3) (4)
___ où il paie. Ça ___ combien, les bouteilles d'eau minérale, le paquet de (5) (6)
carottes, les ___ de sardines et le ___ de moutarde? Ça fait trente francs. (7) (8)

D **C'est combien, s'il vous plaît?** Demandez le prix à un copain ou à une copine. *(Ask a classmate how much the following items are.)*

1. la boîte de conserve
2. la douzaine d'œufs
3. la bouteille d'eau minérale
4. le litre de lait
5. le pot de moutarde

Activités de communication orale

Mots 1 et 2

A **À la boulangerie-pâtisserie.** Visit a French bakery in your community with your classmates. Ask the baker the French names of the pastries that appeal to you. Choose a few items and find out how much you owe. Be sure to speak French. (If there isn't a French bakery in your community, set one up in your classroom by bringing in baked goods or magazine photos of French pastries and breads. Take turns playing the roles of baker and customers.)

B **Au marché.** You're at a vegetable stand at the open-air market in Nice. Make a list of items you want to buy. Use the list of expressions below to talk to the *marchand(e)* (your partner).

> Bonjour.
> Vous désirez, (Monsieur, Mademoiselle)?
> Je voudrais…
>
> Et avec ça?
> C'est tout?
> Ça fait ___ francs.

C **Je fais les courses.** You've offered to do the shopping for the French family you're living with in Tours. You've got to buy the items on the grocery list below. Ask your French host (your partner) where you have to go to get each item.

> **des crevettes**
>
> Élève 1: Je vais où pour acheter des crevettes?
> Élève 2: Tu vas à la poissonnerie.

D **À l'épicerie.** You're in a French *épicerie*. Ask the clerk (your partner) for some of the items on the list below. Be sure to tell him or her the quantity you want. Then reverse roles.

> **jambon**
>
> Élève 1: Je voudrais 500 grammes de jambon, s'il vous plaît.
> Élève 2: Voilà. Et avec ça?

1. eau minérale
2. œufs
3. pommes
4. frites surgelées
5. pommes de terre
6. beurre
7. oranges
8. Orangina
9. fromage
10. crème
11. lait
12. bananes

crevettes
saucisson
tarte aux fruits
poulet
fromage
baguette
haricots verts
pommes de terre

STRUCTURE

Le partitif et l'article défini

Talking about an Indefinite Quantity or Things in General

1. You use the definite article *(le, la, l', les)* to refer to a specific item or items.

Le poisson est au réfrigérateur dans la cuisine.	*The fish is in the refrigerator in the kitchen.*
Voilà le dessert.	*Here's the dessert.*

2. You also use the definite article when talking about something in a general sense.

Le thé est délicieux.	*Tea is delicious.*
Les enfants aiment le lait.	*Children like milk.*
Je déteste les haricots verts.	*I hate green beans.*
Ils n'aiment pas la viande.	*They don't like meat.*

Note that the definite article is often used with verbs that express likes and dislikes—*aimer, détester, préférer, adorer.*

3. You use the partitive construction to express an unspecified amount or part of the whole. In English we often say "some" or "any" to express the partitive. We may omit those words in English, but in French the partitive construction must be used to express indefinite quantity. Study the following examples.

Vous avez du thé?	*Do you have (any) tea?*
Tu voudrais du lait?	*Would you like (some) milk?*
Il achète des haricots verts.	*He's buying (some) green beans.*
Je commande de la viande.	*I'm ordering (some) meat.*

4. You express the partitive in French by using *de* + the definite article. *De* combines with *le* to form *du*. *De* + *les* becomes *des*. *De la* and *de l'* remain unchanged. Study the following chart.

de + la = de la	J'ai *de la* crème.
de + l' = de l'	Je voudrais *de l'*eau.
de + le = du	Tu manges *du* pain?
de + les = des	Il achète *des* fruits et *des* légumes.

Exercices

A **Qu'est-ce que je vais acheter?** Répondez d'après le modèle. (*Answer according to the model.*)

Tu vas acheter des fruits?
Oui, je vais acheter des fruits. J'aime les fruits.

1. Tu vas acheter du pain?
2. Tu vas acheter du fromage?
3. Tu vas acheter des bananes?
4. Tu vas acheter de la glace?

B **Au marché.** Complétez. (*Complete.*)

Je vais acheter ___ légumes et ___ fruits chez le marchand de fruits et légumes.
             1   2
Ensuite je vais aller à la boucherie où je vais acheter ___ bœuf et ___ poulet.
                                               3   4
Et comme la famille aime bien manger ___ fromage après le dîner, je vais aller à
                                          5
la crémerie pour acheter ___ fromage.
                        6

C **Des provisions.** Complétez. (*Complete.*)

Au marché Robert achète ___ pain, ___ jambon, ___ fromage, ___ bananes
                             1   2   3   4
et ___ crème. Il va préparer ___ sandwichs au jambon et au fromage. Pour le
    5   6
dessert il va préparer ___ bananes avec ___ crème.
                        7   8

D **Des différences.** Complétez. (*Complete.*)

Janine Dupont a une sœur, Colette. Quand les deux sœurs vont au restaurant,
Colette commande toujours ___ poisson. Elle aime bien ___ poisson. Mais
                           1   2
Janine n'aime pas du tout ___ poisson. Elle aime ___ viande et elle commande
                         3   4
toujours ___ viande. Elle commande toujours ___ bœuf.
        5   6

Le partitif à la forme négative   *Expressing What People Don't Have or Don't Do*

1. You have already seen that *un*, *une*, and *des* change to *de* (*d'*) in the negative.

AFFIRMATIF	NÉGATIF
J'ai un livre.	**Je *n'*ai *pas de* livre.**
Nous avons une voiture.	**Nous *n'*avons *pas de* voiture.**
Ils ont des frères.	**Ils *n'*ont *pas de* frères.**

2. Note that in the negative, all forms of the partitive (*du, de la, de l'*, and *des*) also change to *de* or *d'*.

AFFIRMATIF	NÉGATIF
J'achète du pain.	Je *n'*achète *pas de* pain.
J'ai de la crème.	Je *n'*ai *pas de* crème.
Je prépare des carottes.	Je *ne* prépare *pas de* carottes.
Il a des amis.	Il *n'*a *pas d'*amis.

Exercices

A **Qu'est-ce que tu as?** Posez une question d'après le modèle. (*Ask a question according to the model.*)

> des crayons
>
> Élève 1: Tu as des crayons?
> Élève 2: Non, je n'ai pas de crayons. (Oui, j'ai des crayons.)

1. un(e) ami(e)
2. de l'argent
3. des cassettes
4. un chat
5. un chien
6. des cousins
7. des cousines
8. des disques
9. des frères
10. des grands-parents
11. des livres
12. des magazines

B **Juliette fait ses courses.** Répondez d'après le modèle. (*Answer according to the model.*)

> Elle achète du poisson à la boucherie?
> *Non, elle n'achète pas de poisson à la boucherie. Elle achète du poisson à la poissonnerie.*

1. Elle achète du pain à la boucherie?
2. Elle achète du fromage à la boulangerie-pâtisserie?
3. Elle achète des légumes à la charcuterie?
4. Elle achète de la viande à la crémerie?
5. Elle achète des œufs chez le marchand de fruits et légumes?

Une poissonnerie dans la rue Mouffetard à Paris

C **Au supermarché.** Complétez. *(Complete.)*

Quand Jacqueline va au supermarché elle n'achète pas ___₁ fruits. Elle n'aime pas ___₂ fruits au supermarché. Elle achète ___₃ fruits au marché, chez le marchand de fruits et légumes. Elle n'achète pas ___₄ café au supermarché. Elle n'achète pas ___₅ viande. Elle n'achète pas ___₆ haricots verts. Elle n'achète pas ___₇ oignons. Qu'est-ce qu'elle achète au supermarché alors? Elle achète seulement ___₈ boîtes de conserve et ___₉ bouteilles d'eau.

Le verbe *faire* au présent

Telling and Asking What You or Others Do

1. The verb *faire*, "to do" or "to make," is irregular. Study the following forms.

FAIRE			
je	fais	nous	faisons
tu	fais	vous	faites
il elle on	fait	ils elles	font

2. *Qu'est-ce que tu fais?* or *Qu'est-ce que vous faites?* means "What are you doing?" Note that you can use verbs other than *faire* in your answer.

    Qu'est-ce que tu fais? **Je regarde la télé.**
    Qu'est-ce que vous faites? **Nous préparons le dîner.**

3. You also use the verb *faire* in many idiomatic expressions. An idiomatic expression is one that does not translate directly from one language to another. *Faire les courses* is an example of such an expression. In English we say "to go grocery shopping," while in French the verb *faire* is used.

4. You also use *faire* to tell what subjects you are taking.

    Je fais du français et mon frère fait de l'espagnol.
    Mon frère et moi faisons des maths.

5. Here are some other expressions using *faire*. You can probably guess their meaning.

> Il fait ses études secondaires au lycée du Parc Impérial.
> Tu ne fais pas attention en classe.
> Nous n'aimons pas faire nos devoirs devant la télé.
> Maman prépare un bon dîner. Elle aime faire la cuisine.
> Nous aimons faire un pique-nique au parc.

6. Note that *de la, du, de l'*, and *des* following *faire* change to *de (d')* in the negative.

> Elle fait du français mais elle ne fait pas de maths.
> Nous ne faisons pas d'anglais.

Exercices

A **On fait les courses.** Répétez la conversation. (*Practice the conversation.*)

LUC: Salut, Robert. Qu'est-ce que tu fais?
ROBERT: Moi, je fais les courses.
LUC: Tiens! Quelle surprise! Moi aussi. Je vais au marché de la rue Cler. Tu veux y aller avec moi?
ROBERT: Pourquoi pas? Mais Annette va aussi faire les courses avec moi aujourd'hui.
LUC: Pas de problème! On fait les courses ensemble.

Complétez d'après la conversation. (*Complete according to the conversation.*)

1. Luc ___ ses courses.
2. Robert ___ ses courses aussi.
3. Et Annette ___ ses courses.
4. Luc, Robert et Annette ___ leurs courses ensemble.
5. Ils ___ leurs courses au marché de la rue Cler.

B **Quels cours?** Posez des questions à un copain ou à une copine d'après le modèle. (*Ask a classmate questions according to the model.*)

> de la gymnastique

> Élève 1: Tu fais de la gymnastique?
> Élève 2: Oui, je fais de la gymnastique. (Non, je ne fais pas de gymnastique.)

1. du français
2. de la géométrie
3. de l'anglais
4. des sciences naturelles
5. de l'histoire
6. de la géographie

C Tes copains et toi. Donnez des réponses personnelles. (*Give your own answers.*)

1. Vous faites des études au lycée ou au collège?
2. Vous faites vos devoirs devant la télé?
3. Vous faites attention en classe?
4. Vous faites la cuisine française en classe?

D Qu'est-ce que vous faites, Monsieur? Posez des questions d'après le modèle. (*Ask questions according to the model.*)

> **Madame fait les courses au marché.**
> *Et vous, Monsieur? Vous faites aussi les courses au marché?*

1. Madame fait la cuisine le soir.
2. Madame fait un gâteau d'anniversaire.
3. Madame fait un sandwich à midi.
4. Madame fait les courses
   au supermarché.

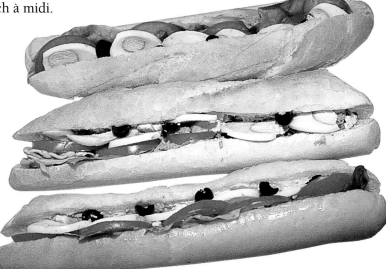

E Mon copain Yves. Complétez. (*Complete.*)

Voilà Yves, mon copain du lycée. Il est très intelligent. Nous sommes dans le même cours d'anglais. Yves ___ toujours attention en classe. Moi, je ne ___ pas
₁ très attention. Yves et moi ___ nos devoirs ensemble après les cours. Yves ne
₃ ___ pas de fautes (erreurs). Mais moi, je ___ beaucoup de fautes.
₄ ₅

Yves et son amie Monique ___ du français avec Madame Delacourt. Ils
₆ aiment beaucoup le cours de français. Qu'est-ce qu'ils ___ au cours de français?
₇ Ils parlent beaucoup et ils chantent des chansons françaises.

Vous ___ du français aussi, n'est-ce pas? Vous ___ du français avec qui? Qui
₈ ₉ est votre prof? Qu'est-ce que vous ___ au cours de français?
₁₀

Les verbes *pouvoir* et *vouloir*

Describing What You or Others Can Do or Want to Do

1. Study the following forms of the verb *pouvoir*, "to be able to," and *vouloir*, "to want."

POUVOIR			
je	peux	nous	pouvons
tu	peux	vous	pouvez
il elle on	peut	ils elles	peuvent

VOULOIR			
je	veux	nous	voulons
tu	veux	vous	voulez
il elle on	veut	ils elles	veulent

2. You use *pouvoir* and *vouloir* with an infinitive of another verb to express what one can do or wants to do.

   Michelle peut dîner au restaurant ce soir.
   Je veux inviter mes copains à la fête.
   Vous pouvez commander un steak frites pour moi?

3. As with other verbs that come before an infinitive, *ne... pas* goes around the verbs *pouvoir* and *vouloir* to form the negative.

   Je ne veux pas manger de frites avec mon steak.
   Nous ne pouvons pas aller à la discothèque.

4. To ask for something politely, you use *je voudrais*, "I'd like," instead of *je veux*, "I want."

   Je voudrais une livre de haricots verts, s'il vous plaît.

Exercices

A **Je veux bien, mais je ne peux pas.**   Répondez d'après le modèle.
(Answer according to the model.)

   Tu veux aller au restaurant?
   Je veux bien, mais je ne peux pas.

1. Tu veux aller au café?
2. Tu veux dîner avec Claude?
3. Tu veux travailler à plein temps?
4. Tu veux gagner de l'argent?
5. Ton frère veut faire les courses?
6. Il veut aller au marché?
7. Il veut préparer le dîner?
8. Il veut inviter ses amis?

B Si vous voulez, vous pouvez. Répondez d'après le modèle. (*Answer according to the model.*)

> **Nous voulons travailler.**
> *Si vous voulez, vous pouvez travailler.*

1. Nous voulons travailler à mi temps.
2. Nous voulons gagner de l'argent.
3. Nous voulons avoir des succès.
4. Nous voulons être riches.

C Les garçons n'ont pas beaucoup d'argent. Complétez avec «pouvoir» ou «vouloir». (*Complete with* pouvoir *or* vouloir.)

Pierre et son frère Jacques ont faim. Ils ___ aller dans un restaurant où ils ___
                                            1   2
dîner rapidement. Ils ___ commander deux hamburgers chacun (*each*) mais
                        3
ils ne ___ pas. Pierre insiste, mais Jacques crie: «Pas question! On n'a pas
         4
beaucoup d'argent! Tu ___ commander seulement un hamburger aujourd'hui.»
                        5

D Qui peut préparer le dîner? Complétez. (*Complete.*)

ANNE: Je ___ (vouloir) préparer le dîner ce soir, mais franchement je ne ___
       (pouvoir) pas.
JEAN: Tu ne ___ (pouvoir) pas? Pourquoi?
ANNE: Parce que je ___ (être) très fatiguée. Je ___ (être) vraiment crevée.
JEAN: On ___ (pouvoir) aller dîner au restaurant alors.
ANNE: Je ne ___ (vouloir) pas y aller ce soir.
JEAN: Si tu ne ___ (vouloir) pas, je ne ___ (vouloir) pas.
ANNE: J'___ (avoir) une idée. Tu ___ (pouvoir) aller faire les courses et tu ___
       (pouvoir) faire la cuisine. C'est une bonne idée, n'est-ce pas?
JEAN: Euh… D'accord. Je ___ (vouloir) bien. Qu'est-ce que tu ___ (vouloir)
       manger alors?

Le supermarché Printania à Dakar, au Sénégal

CONVERSATION

Scènes de la vie   *Chez la marchande de fruits*

LA MARCHANDE: Bonjour, Madame. Comment allez-vous aujourd'hui?

MADAME GARNIER: Très bien, merci. Et vous?

LA MARCHANDE: Très bien. Et qu'est-ce que Madame désire aujourd'hui?

MADAME GARNIER: Je voudrais des oranges. C'est combien, les oranges?

LA MARCHANDE: Les oranges d'Espagne? Elles sont exquises. Dix francs le kilo.

MADAME GARNIER: Une livre, s'il vous plaît.

LA MARCHANDE: Et avec ça?

MADAME GARNIER: Rien d'autre, merci.

LA MARCHANDE: Bien, Madame.

MADAME GARNIER: Ça fait combien?

LA MARCHANDE: Cinq francs. Merci, Madame. Et au revoir!

A **Les courses.** Choisissez la bonne réponse. (*Choose the correct answer.*)

1. Madame Garnier est ___.
   a. à la boucherie   b. à la crémerie   c. chez la marchande de fruits

2. Madame Garnier veut ___.
   a. des oranges   b. des légumes   c. une baguette

3. Les oranges sont ___.
   a. des légumes   b. d'Espagne
   c. dix francs la boîte

4. Madame Garnier achète ___ d'oranges.
   a. un kilo   b. un paquet
   c. cinq cents grammes

5. Les oranges sont ___.
   a. de France   b. la boîte
   c. dix francs le kilo

Prononciation *Les sons /œ̸/ et /œ/*

Listen to the difference in the vowel sounds in *peut* and *peuvent*. The sound /œ̸/ in *peut* is a closed vowel sound and the sound /œ/ in *peuvent* is an open vowel sound. Repeat the following words with the sound /œ̸/.

> **il peut   il veut   des œufs   deux**

Repeat the following words with the sound /œ/.

> **ils peuvent   ils veulent   un œuf   leur sœur   du beurre**

Now repeat the following pairs of words. Be sure to distinguish between the two vowel sounds.

> **il peut/ils peuvent   il veut/ils veulent**

Now repeat the following sentences.

> **Elle veut faire les courses, mais ils ne veulent pas.**
> **Elle veut du beurre et des œufs.**
> **Leur sœur est sérieuse.**

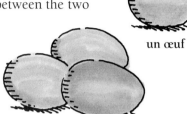

un œuf

des œufs

Activités de communication orale

A **Je veux…**   Tell a classmate a few things you want to do and find out if he or she wants to do them too.

B **Je veux… mais je ne peux pas.**   Tell a classmate several things you want to do but can't do. He or she wants to know why you can't do these activities. Reverse roles.

> Élève 1: Je veux aller au cinéma ce soir, mais je ne peux pas.
> Élève 2: Pourquoi pas?
> Élève 1: J'ai un examen demain.

C **On est moderne chez toi?**   Divide into small groups and choose a leader. The leader asks the others the following questions and reports to the class.

1. Qui fait les courses dans ta famille?
2. Qui fait la cuisine généralement?
3. Qui fait la cuisine quand il y a des invités (*guests*)?

D **Moi, je fais la cuisine.**   You've invited a friend over for a birthday dinner. Make up the menu. Tell your friend what you're going to prepare. Find out whether he or she likes your menu.

> Élève 1: Je vais préparer une salade et du poulet.
> Élève 2: Très bien! J'adore la salade et le poulet.
>   (Euh… je déteste la salade et le poulet.)

LECTURE ET CULTURE

LES COURSES EN FRANCE

Il y a des supermarchés en France? Bien sûr qu'il y a des supermarchés, surtout en dehors des[1] villes. Mais les Français ne vont pas toujours au supermarché pour faire leurs courses. Beaucoup de Français font leurs courses tous les jours—le lundi, le mardi, le mercredi, etc.—dans de petits magasins. En France, on n'achète pas tout[2] dans le même magasin. On achète de la viande à la boucherie et du pain à la boulangerie. On veut des boîtes de conserve, du détergent ou de l'eau minérale? On peut aller à l'épicerie du coin.

Les Français préfèrent aller d'un petit magasin à l'autre. Pourquoi? Premièrement, parce que la qualité est presque[3] toujours excellente dans les petits magasins. Et deuxièmement, les Français aiment bavarder un peu[4] avec le marchand ou la marchande. Ils trouvent ça sympathique.

[1] surtout en dehors des   *especially outside of*
[2] tout   *everything*
[3] presque   *almost*
[4] un peu   *a little*

Étude de mots

A Le contraire.   Trouvez le contraire. *(Find the opposite.)*

1. en dehors de la ville
2. tous les jours
3. petit
4. même
5. l'épicerie du coin
6. un peu

a. un jour par semaine
b. différent
c. le supermarché
d. en ville
e. beaucoup
f. grand

Compréhension

B **En France.** Répondez. (*Answer.*)

1. Où sont la plupart des supermarchés en France?
2. Les Français vont toujours au supermarché pour faire leurs courses?
3. Où est-ce qu'on achète du pain?
4. Où est-ce qu'on achète de la viande?
5. Qu'est-ce qu'on achète à l'épicerie?
6. Comment est la qualité des produits dans les petits magasins?
7. On peut bavarder avec qui?

C **Un peu de culture.** En France ou aux États-Unis? (*In France or in the U.S.?*)

1. On fait presque toujours les courses au supermarché.
2. On fait les courses tous les jours.
3. On fait les courses une ou deux fois par semaine, pas tous les jours.
4. Il y a des supermarchés surtout en dehors des villes.

DÉCOUVERTE CULTURELLE

Aujourd'hui les marchands français donnent des sacs à leurs clients. Les sacs sont en plastique ou en papier. Mais beaucoup de gens ont leur propre[1] sac ou filet pour leurs achats[2]. Tu as un filet? Tu vas au supermarché avec ton propre sac?

Quand les Français vont au marché, ils ne parlent pas de *pounds*. En France on utilise le système métrique. On parle de «kilos» dans le système métrique. Un kilo (un kilogramme) est l'équivalent de 2,2 *pounds*. Dans un kilo il y a mille grammes. Un demi-kilo (1/2 kg) est une livre. Une livre fait cinq cents grammes.

Le pain français est très célèbre. Tout le monde adore une baguette bien croustillante[3] avec son odeur délicieuse. Les Français mangent du pain à tous les repas[4]. Dans chaque[5] quartier il y a une ou deux boulangeries où on achète du pain tous les matins. En France, il y a beaucoup de variétés de pain. Dans certaines boulangeries, faire du pain, c'est un art.

[1] propre *own*   [4] tous les repas *every meal*
[2] achats *purchases*   [5] chaque *each*
[3] croustillante *crusty*

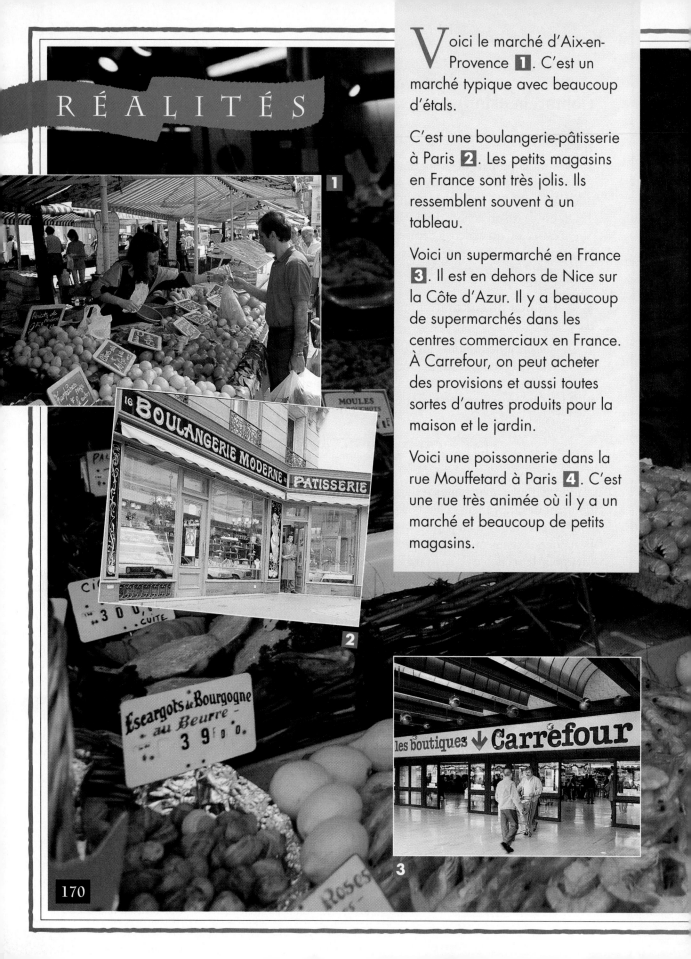

1

2

3

les boutiques ⬇ Carrefour

Voici le marché d'Aix-en-Provence **1**. C'est un marché typique avec beaucoup d'étals.

C'est une boulangerie-pâtisserie à Paris **2**. Les petits magasins en France sont très jolis. Ils ressemblent souvent à un tableau.

Voici un supermarché en France **3**. Il est en dehors de Nice sur la Côte d'Azur. Il y a beaucoup de supermarchés dans les centres commerciaux en France. À Carrefour, on peut acheter des provisions et aussi toutes sortes d'autres produits pour la maison et le jardin.

Voici une poissonnerie dans la rue Mouffetard à Paris **4**. C'est une rue très animée où il y a un marché et beaucoup de petits magasins.

CULMINATION

Activité de communication orale

A Une invitation.   You've invited the French exchange student from your school to dinner. He has a few questions for you about the plans.

1. C'est quel jour le dîner?
2. C'est à quelle heure?
3. Quelle est ton adresse?
4. Qu'est-ce que tu vas préparer?
5. Je peux faire un dessert si tu veux.

Activité de communication écrite

A Un déjeuner français.   You're living in France and want to get some food for lunch but you don't have time.

1. Leave a note for your roommate and ask if he or she can do the shopping for you.
2. Make a list of at least six items.
3. Tell your roommate where each item can be bought.
4. Invite your roommate to have lunch with you.
5. Tell him or her what time you're going to eat.

De belles fraises au marché en plein air

Réintroduction et recombinaison

A **La rue Cler.** Complétez avec la forme convenable de à. (*Complete with the correct form of* à.)

1. Madame Dion va ___ marché de la rue Cler.
2. Elle ne va pas ___ supermarché.
3. Madame Dion va ___ boulangerie pour acheter du pain et elle va ___ épicerie pour acheter des boîtes de conserve.
4. ___ marché Madame Dion aime parler ___ marchands.
5. Aujourd'hui les marchands donnent des sacs ___ clients.

B **Des différences.** Complétez. (*Complete.*)

Éric a ___ sœurs mais il n'a pas ___ frères. Les sœurs d'Éric
   $\frac{}{1}$ $\frac{}{2}$

font ___ études universitaires à l'Université de Grenoble. Catherine fait ___
      $\frac{}{3}$ $\frac{}{4}$

anglais mais Michèle ne fait pas ___ anglais. Elle fait ___ espagnol. Catherine
                                  $\frac{}{5}$ $\frac{}{6}$

fait toujours ___ gymnastique mais Michèle ne fait pas ___ gymnastique. Elle
              $\frac{}{7}$ $\frac{}{8}$

n'aime pas du tout ___ gymnastique.
                   $\frac{}{9}$

Vocabulaire

NOMS

le marché
le supermarché
l'épicerie
le/la marchand(e)
chez le marchand de
   fruits et légumes
la boucherie
la charcuterie
la boulangerie-pâtisserie
la crémerie
la poissonnerie
la caisse

le fruit
la banane
l'orange (f.)
la pomme
la tomate

le légume
la carotte
la laitue
l'oignon (m.)

la pomme de terre
les haricots (m.) verts

la viande
le bœuf
le poulet
le saucisson

le poisson
le crabe
la crevette

le lait
la crème
le beurre
le yaourt
le pain
la baguette
le croissant
le gâteau
la tarte

les légumes (m.) surgelés
l'eau (f.) minérale
la moutarde
l'œuf (m.)

le paquet
le filet
le sac
la boîte
la bouteille
la douzaine
le pot
le gramme
le kilo
le litre
la livre

VERBES

acheter
faire
payer
pouvoir
vouloir

**AUTRES MOTS
ET EXPRESSIONS**

faire attention
faire des études
faire la cuisine
faire les courses
faire un pique-nique
C'est tout.
C'est combien?
Rien d'autre.
Avec ça?
Ça fait combien?

NOMBRES

cent un à mille
   (101–1.000)

CHAPITRE

7

L'AÉROPORT ET L'AVION

OBJECTIFS

In this chapter, you will learn to do the following:

1. check in for a flight
2. talk about some services on board
3. get through the airport after deplaning
4. describe people's activities
5. express "which" and "all"
6. describe people and things
7. say a few things about air travel in France

BRITISH AIRW
EL AL
CROSSAIR
X ... NA
...SEY EUROPEAN
LUFTHANSA
OLYMPIC AIRWAYS
REGIONAL AIRLINES
ROYAL AIR MARO
SABENA
SCANDINAVIAN AIR
SWISSAIR
TUNIS AIR
Compagnies chart

175

VOCABULAIRE

MOTS 1

Marc fait un voyage à Pointe-à-Pitre. Avant le voyage il fait ses valises.

un agent

un écran

À L'AÉROPORT

un passeport

le comptoir de la compagnie aérienne

des bagages (m.)

des valises (f.)

des bagages à main

un billet

une carte d'embarquement

vérifier le billet

faire enregistrer les bagages

Marc choisit sa place.
Il choisit une place côté couloir.
Il choisit le siège 16C.

décoller

le départ

atterrir

la porte

le contrôle
de sécurité

L'avion part de la porte 14.

DANS L'AVION

la cabine

la sortie

(une zone) non-fumeurs

côté fenêtre

un passager

une passagère

un siège

côté couloir

un vol à destination de Paris   *un vol qui va à Paris*
un vol en provenance de Lyon   *un vol qui arrive de Lyon*

un vol intérieur   *un vol dans le même pays*
un vol international   *un vol d'un pays à un autre*

Exercices

A **Un voyage à Pointe-à-Pitre.** Répondez. (*Answer.*)

1. Le passager est au comptoir de la compagnie aérienne?
2. Le comptoir est à l'aéroport?
3. C'est le comptoir de quelle compagnie aérienne?
4. Le passager a son billet et son passeport?
5. L'agent de la compagnie aérienne vérifie le billet?
6. Il vérifie le passeport aussi?
7. Le passager choisit sa place dans l'avion?
8. Il choisit quel siège? Son siège est dans la zone non-fumeurs?
9. Il veut une place côté couloir ou côté fenêtre?
10. L'agent donne une carte d'embarquement au passager?
11. Le passager fait enregistrer ses bagages?
12. Il passe par le contrôle de sécurité?

B **À l'aéroport.** Répondez d'après les dessins. (*Answer according to the illustrations.*)

1.   2.   3.

4.   5.   6.

1. Le passager a de grandes valises ou des bagages à main?
2. Il regarde son billet ou son passeport?
3. L'agent vérifie son billet ou sa carte d'embarquement?
4. Le passager est au comptoir de la compagnie aérienne ou il passe par le contrôle de sécurité?
5. Le passager va au contrôle de sécurité ou à la porte d'embarquement?
6. L'avion décolle ou atterrit?

C **Les arrivées et les départs.** Répondez d'après les écrans. (*Answer according to the arrival and departure screens.*)

ARRIVEES AEROGARE TERMINAL **2**

INFORMATIONS GENERALES

HORS	PROVENANCES	VOL	OBSERVATIONS	GARE
0920	NAIROBI	MD 052	ARRIVE 1009	2A
0920	GENEVE	SR 722	ARRIVE 0952	2B
0925	ZURICH	AF 987	ARRIVE 0942	2B
0930	LON-HEATHROW	AF 807	ARRIVE 0939	2D
0940	LUGANO	LXAF 750	PREVU 1050	2B
0949	BERNE	LXAF 772	PREVU 1106	2C
0950	ROME	AF 639	ARRIVE 0945	2D
1000	MANCHESTER	AF 909	ARRIVE 0954	2D
1005	BRUXELLES	AF 1221	ARRIVE 1004	2B

DEPARTS AEROGARE TERMINAL **2**

INFORMATIONS GENERALES

HORS	DESTINATION	VOL	OBSERVATIONS	GARE
0940	VENISE	AZ 297	TERMINE B33	2B
0955	OSLO	AF 1132	TERMINE	2B
1005	MILAN	AZ 345	TERMINE B33	2B
1010	ROME	AZ 283	TERMINE B33	2B
1015	VENISE	AF 670	TERMINE	2D
1020	PRAGUE	AF 2968	EMBARQT	2C
1020	BERNE	AFLX 972	B30	2D
1030	LON-HEATHROW	AF 810	EMBARQT D63	2D
1035	BRISTOL	BC 602	EMBARQT D69	2D

1. Le vol 987, c'est un vol de quelle compagnie aérienne?
2. Où va le vol 297?
3. Le vol 345 est à destination de quelle ville?
4. Le vol 810 part à quelle heure?
5. Le vol 772 est en provenance de quelle ville?
6. Il va arriver à quelle heure?
7. Quel vol est en provenance de Rome?

SUPER TARIFS JEUNES   AIR INTER

CALENDRIER JEUNE/ ÉTU DIANT

VOCABULAIRE

MOTS 2

PENDANT LE VOL OU À BORD DE L'AVION

le personnel de bord

un steward   une hôtesse de l'air

On sert le dîner.

Un passager sort ses
bagages du compartiment.

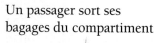

Un passager dort.

Une passagère remplit
sa carte de débarquement.

L'ARRIVÉE À PARIS

On passe à l'immigration.

On récupère ses bagages.

On passe à la douane.

une aérogare en ville

un taxi

un autocar

Exercices

A **Un lexique aérien.** Trouvez le contraire. (*Find the opposite.*)

1. le steward
2. l'aérogare en ville
3. l'embarquement
4. décoller
5. intérieur
6. en provenance de

a. l'aéroport
b. international
c. l'hôtesse de l'air
d. à destination de
e. le débarquement
f. atterrir

B **Un autre lexique aérien.** Trouvez le nom qui correspond au verbe.
(*Find the noun that corresponds to the verb.*)

1. arriver
2. partir
3. atterrir
4. décoller
5. servir
6. sortir
7. embarquer
8. débarquer

a. le départ
b. l'embarquement
c. l'arrivée
d. le débarquement
e. la sortie
f. le service
g. le décollage
h. l'atterrissage

C **À bord.** Répondez. (*Answer.*)

1. Le vol de New York à Paris est un vol intérieur ou un vol international?
2. On sert le dîner à bord?
3. Le steward sert le dîner?
4. L'hôtesse de l'air sert le dîner?
5. Un passager dort pendant le vol?
6. Avant l'arrivée ou l'atterrissage à Paris, le passager remplit une carte de débarquement?
7. À Paris, on passe à l'immigration?
8. On passe à la douane?

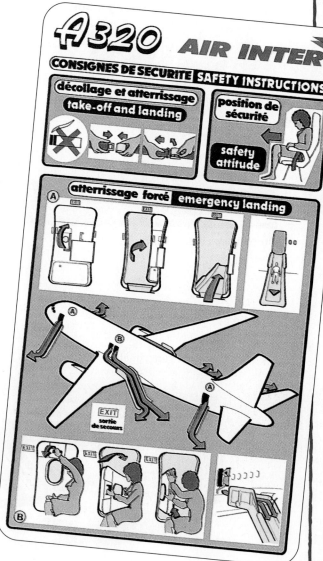

Activités de communication orale

Mots 1 et 2

A Au comptoir d'Air Inter. You're checking in for your flight at the Air Inter counter at Orly Airport. Answer the agent's questions.

1. Où allez-vous?
2. Vous avez combien de valises à enregistrer?
3. Vous avez combien de bagages à main?
4. Vous voulez une place fumeurs ou non-fumeurs?
5. Côté couloir ou côté fenêtre?

B Des renseignements. You're on a flight to Paris. Get some information from the flight attendant (your partner) about the following:

1. service on board, meals, etc.
2. arrival time in Paris
3. customs
4. getting from the airport to the city

C Des arrivées et des départs. Work with a classmate. Look at this arrival board at Charles-de-Gaulle Airport. Give as much information about the flights as you can, then ask each other questions about them.

Ici aérogare 2D / Here terminal 2D			**Arrivées**		**Arrivals**					
Horaire Time	Provenance From	N° vol Flight	Observations Remarks	Arrivée Arrival	Horaire Time	Provenance From	N°vol Flight	Observations Remarks	Arrivée Arrival	
1120	TURIN	AF	697 TERMINAL B		1230	LON:HEATHRW	AF	805 PREVU 1230		
1120	ANKARA				1235	LON:CITY	BCAF	855 PREVU 1245		
	ISTANBUL	AF	1377 ARRIVE 1128	1	1305	VIENNE	AF	2633 PREVU 1310		
1125	MILAN	AF	651 ARRIVE 1154	1	1330	COPENHAGUE	AF	1101 PREVU 1330		
1130	MUNICH	AF	731 ARRIVE 1134	1	1335	MILAN	AF	653		
1135	BERLIN	AF	791 ARRIVE 1130	1	1345	LON:HEATHRW	AF	811		
1135	LON:HEATHRW	AF	809 ARRIVE 1142	2	1350	STOCKHOLM	AF	1121 PREVU 1350		
1200	LON:GATWICK	AF	837 PREVU 1200	2	1355	BRISTOL	BC	603		
1145	C DE GAULLE	AF	762 PREVU 1144	2	1355	ROME	AF	631		
1205	BOLOGNE	AF	683 PREVU 1205	2						

STRUCTURE

Les verbes en *-ir* au présent   *Describing People's Activities*

1. Another group of regular verbs in French end in *-ir*. The two most commonly used verbs in this group are *choisir*, "to choose," and *finir*, "to finish." Study the following forms.

INFINITIVE	CHOISIR	FINIR	
STEM	chois-	fin-	ENDINGS
	je choisis	je finis	-is
	tu choisis	tu finis	-is
	il elle on } choisit	il elle on } finit	-it
	nous choisissons	nous finissons	-issons
	vous choisissez	vous finissez	-issez
	ils elles } choisissent	ils elles } finissent	-issent

Note that the final consonant sound of all singular forms is silent.

2. The following are some other common *-ir* verbs.

atterrir	to land	**réussir à**	to succeed, to pass (a test)
punir	to punish	**remplir**	to fill, to fill out (a form)
obéir à	to obey		

Exercices

A **Un vol à Paris.** Répondez d'après les indications. (*Answer according to the cues.*)

1. Madame Lauzier choisit quelle compagnie? (Air France)
2. Elle choisit quelle classe de service? (classe économique)
3. Elle choisit une place dans la zone fumeurs ou non-fumeurs? (non-fumeurs)
4. Elle choisit un siège côté couloir ou côté fenêtre? (côté couloir)
5. Son avion atterrit à quelle heure? (à huit heures du matin)
6. Il atterrit à quel aéroport? (Charles-de-Gaulle)
7. Qu'est-ce qu'elle remplit avant l'arrivée? (une carte de débarquement)

B **Au restaurant.** Donnez des réponses personnelles. (*Give your own answers.*)

1. Tu choisis un restaurant bon marché ou élégant?
2. Tu choisis le menu touristique ou le menu à la carte?
3. Tu choisis la viande ou le poisson?
4. Tu finis le dîner par un dessert ou un fromage?
5. Tu choisis un gâteau ou une glace?
6. Quand tu finis le dîner, tu laisses un pourboire pour le serveur?

C **Un bon dîner.** Mettez au pluriel d'après le modèle. (*Change to the plural according to the model.*)

> **Je choisis un express et tu choisis un thé citron.**
> ***Nous choisissons un express et vous choisissez un***
> ***thé citron.***

1. Je choisis un restaurant bon marché et tu choisis un restaurant gastronomique.
2. Je choisis le menu à prix fixe et tu choisis un dîner à la carte.
3. Je choisis un coca et tu choisis une bouteille d'eau minérale.
4. Je finis mon dîner par une tarte et tu finis ton dîner par des crêpes Suzette flambées.
5. Je finis mon dîner par un crème et tu finis ton dîner par un express.

EXECUTIVE FIRST | SUPER AFFAIRES

D **Un autre vol.** Complétez avec «choisir» ou «remplir». (*Complete with* choisir *or* remplir.)

1. Les passagers ___ un vol direct?
2. Ils ___ un siège côté couloir ou côté fenêtre?
3. Ils ___ un siège dans la zone fumeurs ou non-fumeurs?
4. Ils ___ leur carte de débarquement à l'aéroport ou pendant le vol?

E **Qui obéit?** Complétez. (*Complete.*)

J'___ (obéir) toujours à mes parents et j'___ (obéir)
toujours à mes profs. Les profs ___ (punir) les
élèves qui n'___ (obéir) pas. Et vous, vous ___
(obéir) à vos parents? Vous ___ (obéir) à vos
profs? Vous ___ (finir) toujours vos examens?
Vous ___ (réussir) à tous les examens que vous
passez?

Les adjectifs *quel* et *tout*   *Expressing "Which" and "All"*

1. You use the interrogative adjective *quel* + a noun when you want to ask "what?" or "which?" All forms of *quel* sound the same even though they are spelled differently.

	SINGULIER	PLURIEL
FÉMININ	Quelle compagnie?	Quelles compagnies?
MASCULIN	Quel vol?	Quels vols?

2. You make a liaison with the plural forms when they are followed by a vowel or silent *h*.

> Quelles‿amies?
> Quels‿hôtels?

3. You use the adjective *tout(e)* with the definite article (*le, la, l'*) to express "the entire" or "the whole."

	SINGULIER
FÉMININ	Toute la classe regarde le tableau noir.
MASCULIN	Tout le livre est comique.

4. You use *tous* and *toutes* to express "all" or "every."

	PLURIEL
FÉMININ	Toutes les classes de M. Lapeyre sont amusantes.
MASCULIN	Tous les livres sont intéressants.

Exercices

A   **Quel cours?**   Répondez d'après le modèle. (*Answer according to the model.*)

> **Tu aimes quels cours?**
> *Moi? J'aime tous les cours.*

1. Tu aimes quelles matières?
2. Tu aimes quelles langues?
3. Tu aimes quelles sciences?
4. Tu aimes quels livres?
5. Tu aimes quels disques?
6. Tu aimes quels profs?

B   **Quel vol?**   Complétez avec «quel». (*Complete with* quel.)

1. Tu fais un voyage? Ton vol est ___ jour?
2. Ton avion part à ___ heure?
3. Ton avion part de ___ porte?
4. Pendant le vol tu vas regarder ___ film?
5. Tu vas écouter ___ cassettes?
6. Tu aimes ___ magazines?

C   **Toute la classe.**   Complétez avec la forme convenable des adjectifs. (*Complete with the correct form of the adjectives.*)

1. ___ la classe passe ___ examen? (tout, quel)
2. ___ les élèves réussissent à l'examen. (tout)
3. ___ les élèves de ___ classe réussissent à ___ examen? (tout, quel, quel)
4. ___ cours sont difficiles? (quel)
5. ___ les cours de ___ professeur sont difficiles? (tout, quel)

D   **Tous les vols pour quelle ville?**   Complétez avec «tout». (*Complete with* tout.)

1. ___ les places sont occupées.
2. ___ l'avion est classe économique. Il n'y a pas de première classe.
3. ___ les cabines sont non-fumeurs.
4. Ce n'est pas vrai ça. ___ les vols internationaux ont une zone fumeurs.

Les noms et les adjectifs en *-al*   *Describing People and Things*

1. To form the plural of all feminine words ending in *-ale* you add *-s* to the singular.

une île tropicale	des îles tropicales
la ville principale	les villes principales
la capitale	les capitales

2. Note, however, that the plural form of most masculine words ending in *-al* is *-aux*.

un vol international	des vols internationaux
un parc national	des parcs nationaux
un animal	des animaux

3. Many adjectives that end in *-al* are cognates.

général	local	national	principal	spécial
international	municipal	original	social	tropical

4. The following are some common nouns that end in *-al*.

le terminal	le général	le journal (*newspaper*)

Exercices

A **La Martinique, une île tropicale.** Complétez. (*Complete.*)

La Martinique est une île ___ (tropical) dans la Mer des Caraïbes. Sa ville ___
₁   ₂
(principal) est Fort-de-France. Fort-de-France est la capitale. Dans la capitale

il y a plusieurs petits parcs ___ (municipal). L'aéroport ___ (international) est
₃   ₄

près de la ville. Tous les jours il y a des vols ___ (international)
₅

qui arrivent et partent de l'aéroport ___ (municipal). Il y a des
₆

vols ___ (international) à destination de Paris et de beaucoup
₇

de villes des États-Unis comme Miami et New York.

B **Quel est le mot que je veux?** Complétez avec un
mot en *-al*. (*Complete with a word ending in* -al.)

1. Le *New York Times* et le *Washington Post* sont des ___
   américains.
2. *France-Soir*, *Paris Presse* et *Le Figaro* sont des ___ français.
3. Il y a des ___ au Bronx Zoo à New York et il y a des ___ au
   jardin zoologique à Paris.
4. Il y a deux grands ___ d'autocars dans la ville.
5. Les ___ sont dans l'armée. Les ___ sont des militaires.

Les verbes *sortir, partir, dormir* et *servir* au présent

Describing People's Activities

1. The verbs *sortir*, "to go out," *partir*, "to leave," *dormir*, "to sleep," and *servir*,
   "to serve," are irregular. Study the forms below.

SORTIR	PARTIR	DORMIR	SERVIR
je sors	je pars	je dors	je sers
tu sors	tu pars	tu dors	tu sers
il elle on } sort	il elle on } part	il elle on } dort	il elle on } sert
nous sortons	nous partons	nous dormons	nous servons
vous sortez	vous partez	vous dormez	vous servez
ils elles } sortent	ils elles } partent	ils elles } dorment	ils elles } servent

2. The verb *sortir* has more than one meaning. Used alone, it means "to go out." *Sortir de* means "to leave" in the sense of "to go out of a place, to exit." When followed by a noun, *sortir* means "to take out."

> **Après les cours j'aime sortir avec mes copains.**
> **Il sort de l'école.**
> **Le passager sort ses bagages du compartiment.**

3. The verb *partir* means "to leave." *Partir de* means "to leave from a place." "To leave for a place" is *partir pour*.

> **L'avion part ce soir.**
> **Il part de la porte trois.**
> **L'avion part pour Paris.**

Exercices

A **Un vol Abidjan–Paris.** Répondez par «oui». (*Answer "yes."*)

1. L'avion pour Paris part de la porte 10?
2. Il part à midi?
3. On sert le déjeuner à bord?
4. Le passager sort ses bagages à main du compartiment?
5. Il dort pendant le vol?

La Côte-d'Ivoire: Des hommes d'affaires descendent de l'avion.

B **Qui part?** Donnez des réponses personnelles. (*Give your own answers.*)

1. Tu pars pour l'école à quelle heure?
2. Tu sors de la maison à quelle heure le matin?
3. Quand tu arrives à l'école, qu'est-ce que tu sors de ton sac à dos?
4. Tu dors en classe?
5. Pendant le week-end, tu sors avec tes copains? Où allez-vous?

C **On part demain.** Répétez la conversation. (*Practice the conversation.*)

JACQUES: Vous partez à quelle heure demain?
CHANTAL: Solange et moi, nous partons à onze heures.
JACQUES: L'avion part de quel aéroport?
CHANTAL: Il part du Bourget.
JACQUES: Vous partez pour Tunis, n'est-ce pas?
CHANTAL: Oui, et nous allons immédiatement après à Monastir.

Complétez d'après la conversation. (*Answer according to the conversation.*)

1. Chantal et sa copine ___ pour Tunis.
2. Elles ___ en avion.
3. Leur vol ___ à onze heures.
4. Il ___ du Bourget.

CONVERSATION

Scènes de la vie   *Au comptoir de la compagnie aérienne*

L'AGENT: Votre billet, s'il vous plaît.
ALICE: Oui, Madame.
L'AGENT: Vous partez pour Paris ce soir? Votre passeport, s'il vous plaît.
ALICE: Voilà mon passeport.
L'AGENT: Merci.
ALICE: Je vous en prie.
L'AGENT: Vous avez combien de valises?
ALICE: Deux petites valises.
L'AGENT: Bien. Vous préférez une place fumeurs ou non-fumeurs?
ALICE: Non-fumeurs, s'il vous plaît. Je ne fume pas.
L'AGENT: J'ai une place côté couloir non-fumeurs.
ALICE: Très bien.
L'AGENT: Voilà votre carte d'embarquement. Vous avez le siège 20C. Embarquement 20 heures 10, porte 15.

A   **Le départ.**   Répondez d'après la conversation. *(Answer according to the conversation.)*

1. Où est Alice?
2. Elle parle à qui?
3. Où est-ce qu'elle va?
4. Qu'est-ce que l'agent vérifie?
5. Alice a combien de valises?
6. Elles sont grandes ou petites?
7. Elle veut une place fumeurs ou non-fumeurs?
8. Elle a quel siège?
9. L'avion part à quelle heure?
10. Il part de quelle porte?

Prononciation *Le son /l/ final*

The names Michelle and Nicole were originally French names, but today many American girls have these names. When you hear French people say the names Nicole and Michelle, the final /l/ sound is much softer than in English. Say "Michelle" and "Nicole" in French. Repeat the following words.

île	vol	général	elle
ville	décolle	journal	quel

Now repeat the following sentences.

> C'est un vol international spécial.
> Quelle est la ville principale de l'île?
> C'est Mademoiselle Michelle. Elle est belle.

l'île

Activités de communication orale

A **Tu vas où?** You're at the airport waiting for your flight. The person sitting next to you (your partner) asks you where you're going, what your flight number is, what time your plane leaves, why you're going on this trip, and who's going with you. Answer his or her questions, then reverse roles.

B **Une carte d'accès à bord.** You just got your boarding pass for your flight to Bordeaux. Tell your classmate everything you can about your flight.

CARTE D'ACCES A BORD/boarding pass

AIR FRANCE ////

NOM DU PASSAGER / name of passenger

DE / from
PARIS/C GAULLE 2 B

A / to
BORDEAUX

VOL / flight	CLASSE	DATE	DEPART / time
IT6117	Y	01OCT	08H55

EMBARQUEMENT / boarding		SIEGE / seat	
24	08H30	X	NO
PORTE / gate	HEURE / time		

NB POIDS / weight

007

HUMMEL 6/160/01 PE

TOUTE LA CLASSE VA À PARIS

*T*ous les élèves de la classe de français de Madame Bardot vont à Paris. Ils sont au comptoir d'Air France à l'aéroport JFK. L'agent vérifie tous leurs billets et tous leurs passeports. Il enregistre tous leurs bagages. Il donne toutes les cartes d'embarquement à Madame Bardot.

Les élèves passent par le contrôle de sécurité. Leur avion à destination de Paris part de la porte cinquante-deux à vingt heures dix. À vingt heures moins le quart on fait l'annonce du départ. Les élèves embarquent et trouvent leurs places à bord de l'avion. Ils placent leurs bagages à main dans le compartiment au-dessus de leur tête[1] ou sous[2] leur siège.

Quelle chance[3]! Leur avion décolle à l'heure[4]. Il n'a pas de retard. Pendant le vol les copains bavardent et regardent un film. Les hôtesses de l'air et les stewards passent dans la cabine et servent des boissons et un dîner. Avant l'arrivée à Paris les élèves remplissent une carte de débarquement.

On arrive à Paris à huit heures du matin. L'avion atterrit à l'aéroport Charles-de-Gaulle à Roissy. Charles-de-Gaulle est un des trois aéroports internationaux de Paris. La plupart des vols internationaux arrivent à Roissy ou partent de Roissy.

Les élèves de Madame Bardot débarquent et récupèrent leurs bagages. Ils passent à l'immigration et à la douane. Les formalités de douane sont très simples à Charles-de-Gaulle.

Quarante minutes après l'atterrissage les élèves sont dans l'autocar qui fait la navette[5] entre l'aéroport et le Terminal des Invalides, au centre de la ville de Paris. Tout le monde est crevé après le long voyage en avion et un décalage horaire de six heures. On va dormir, n'est-ce pas? Absolument pas! Le premier jour à Paris on ne dort pas. On flâne[6] dans les rues de Paris. On flâne le long de la Seine.

[1] compartiment au-dessus de leur tête *overhead compartment*
[2] sous *under*
[3] chance *luck*
[4] à l'heure *on time*
[5] fait la navette *goes back and forth*
[6] flâne *strolls*

La Pyramide du Louvre

Étude de mots

A À l'aéroport.   Trouvez le contraire. *(Find the opposite.)*

1. international
2. l'atterrissage
3. au-dessus de
4. faire enregistrer les bagages
5. à destination de
6. le départ
7. embarquer
8. décoller
9. au centre
10. simple

a. en provenance de
b. intérieur
c. atterrir
d. débarquer
e. l'arrivée
f. le décollage
g. sous
h. compliqué
i. récupérer les bagages
j. à la périphérie

Compréhension

B Un voyage.   Répondez d'après la lecture. *(Answer according to the reading.)*

1. Qui va à Paris?
2. Où sont-ils maintenant?
3. Qu'est-ce que l'agent d'Air France fait?
4. À qui est-ce qu'il donne les cartes d'embarquement?
5. Par où passent les élèves?
6. Leur avion part de quelle porte?
7. Il part à quelle heure?
8. Leur avion décolle à l'heure ou avec un retard d'une heure?
9. Qui travaille à bord de l'avion?
10. Qu'est-ce qu'on sert à bord?
11. On regarde un film pendant le vol?

DÉCOUVERTE CULTURELLE

Air Inter est une des principales compagnies aériennes françaises. Air Inter dessert[1] à peu près cinquante villes françaises et quelques villes étrangères[2].

Les tarifs aériens[3] en France et dans les autres pays d'Europe sont très chers[4].

Il y a une grande industrie aérospatiale en France. Toulouse est le centre de l'industrie aérospatiale française. À Toulouse on assemble les Airbus.

Le Concorde est un avion français et anglais. Le Concorde est un avion supersonique. Il fait New York–Paris en trois heures et demie.

[1] dessert   *serves*
[2] étrangères   *foreign*
[3] tarifs aériens   *airfares*
[4] chers   *expensive*

Voici le Concorde **1**. En combien d'heures fait-il New York–Paris? Tu veux prendre cet avion?

Voici une carte d'embarquement **2**. Quel est le numéro du vol? Quel est le numéro du siège? Quel est le nom du passager? L'avion part de quel aéroport?

Voici l'écran des arrivées de l'aérogare des Invalides à Paris **3**. Ce sont des vols intérieurs ou des vols internationaux? Tu veux visiter quelles villes?

Voici une carte d'une compagnie aérienne **4**. On sert combien de repas pendant le vol? Pourquoi?

1

2

AIR FRANCE ////

CARTE D'ACCÈS A BORD

◀◀ 068   KARPER   NO SMOK

AIR FRANCE ////   EMBARQUEMENT
BOARDING

17 AUG   JFK Y   12H15
AF 055   HEURE / TIME
VOL / FLIGHT

14 H   **83**
SIEGE / SEAT   PORTE / GATE

068
14H
055

BOARDING PASS

AIR FRANCE ////

1000 DUBLIN	FU	111 ARRIVE 1000	2	B
1005 BRISTOL	BC	601 ARRIVE 0957	2	D
1005 BUDAPEST	MAAF	558 ARRIVE 1002	2	B
1010 AMSTERDAM	AF	1251 ARRIVE 1021	2	B
1010 REUNION				
MAURICE				
SEYCHELLES				
DUBAI	AF	464 ARRIVE 1009	2	A
1015 COLOGNE	AF	785 ARRIVE 1020	2	D
1015 DUSSELDORF	AF	769 PREVU 1020	2	D
1020 MIAMI	AF	042 PREVU 1050	2	A
1020 GENEVE	AF	961 PREVU 1011	2	B
1025 STUTTGART	AF	723 PREVU 1016	2	D
1030 NEW YORK	AF	074 PREVU 1100	2	A
1030 BIRMINGHAM	AF	901 PREVU 1028	2	D
1035 AMSTERDAM	FU	021 PREVU 1028	2	B

3

4

AIR ORIENT

PAUL COLIN

EUROPE. ORIENT
EXTRÊME-ORIENT
Service Hebdomadaire

MENU
*
ASSORTIMENT DE CHARCUTERIE
*
TOURNEDOS MAÎTRE D'HÔTEL
*
BOUQUETIÈRE DE PETITS LÉGUMES
*
SALADE COMPOSÉE
*
FROMAGE
*
DESSERT
*
CAFÉ DE COLOMBIE
*
PETIT DÉJEUNER
*

*Pour les boissons alcoolisées dont le service n'est pas gratuit
en classe Economique et pour les autres produits mis en vente
à bord, nous vous prions de vous reporter au tarif mis
à votre disposition.*

CULMINATION

Activités de communication orale

A **Avant, pendant ou après le vol?** Play this game in groups of three. Each of you will think of several things a flight attendant, a passenger, and a ticket agent do. The first person says an activity and one of the other two players has to guess *who* does it. The third person then has to say *when* the activity is done—before, during, or after the flight.

> Élève 1: **Elle sert le dîner.**
> Élève 2: **C'est l'hôtesse de l'air.**
> Élève 3: **Elle sert le dîner pendant le vol.**

B **Tu aimes sortir?** You're chatting with a classmate. Find out how often each of you goes out, where you go, with whom, and who pays.

Activités de communication écrite

A **Vive les vacances!** You've just won two free plane tickets to an exciting foreign city. Write to a friend inviting him or her to join you.

B **Un horrible vol!** Imagine you're taking a trip and everything goes wrong before, during, and after the flight. Write a brief paragraph describing your experience. For some possible topics to include, look at the list below.

l'agent
le déjeuner (le dîner)
le film
la personne à côté de vous
le personnel de bord
la place

Réintroduction et recombinaison

A **À Paris.** Complétez. *(Complete.)*

1. Je ___ à Paris. (aller)
2. J'y ___ avec ma classe de français. (aller)
3. Notre prof de français ___ Madame Bardot. (être)
4. Nous ___ très contents. (être)
5. Nous ___ à Paris en avion. (aller)
6. Madame Bardot ___ le voyage avec nous. (faire)

B **À vous.** Écrivez des phrases originales. *(Write original sentences.)*

1. américain, français
2. joli
3. nouveau
4. beau
5. tout
6. quel

Vocabulaire

NOMS

l'aéroport (m.)
l'agent (m.)
l'arrivée (f.)
le départ
le comptoir
la compagnie aérienne
le billet
la carte d'embarquement
l'écran (m.)
le vol
le pays
le passager
la passagère
les bagages (m.)
les bagages à main
la valise
la porte
le contrôle de sécurité
l'immigration (f.)
le passeport
la douane
l'aérogare (f.)
le taxi
l'autocar (m.)

l'avion (m.)
la cabine
la sortie
le siège
la place
le côté couloir
le côté fenêtre
le compartiment
le personnel de bord
l'hôtesse (f.) de l'air
le steward
la zone non-fumeurs (fumeurs)
la carte de débarquement

ADJECTIFS

intérieur(e)
international(e)
quel(le)
tout(e), tous, toutes

VERBES

débarquer
embarquer
décoller
passer

récupérer
vérifier

atterrir
choisir
finir
remplir
réussir (à)
obéir (à)
punir

sortir
partir
dormir
servir

AUTRES MOTS ET EXPRESSIONS

faire enregistrer
faire les valises
faire un voyage
à bord de
à destination de
en provenance de
avant

CHAPITRE

8

À LA GARE

OBJECTIFS

In this chapter, you will learn to do the following:

1. use words and expressions related to train travel
2. describe your activities and those of others
3. point out people or things
4. express "to put" or "to place"
5. identify different types of trains and rail services in France
6. tell some differences between train travel in France and the U.S.

VOCABULAIRE

MOTS 1

À LA GARE

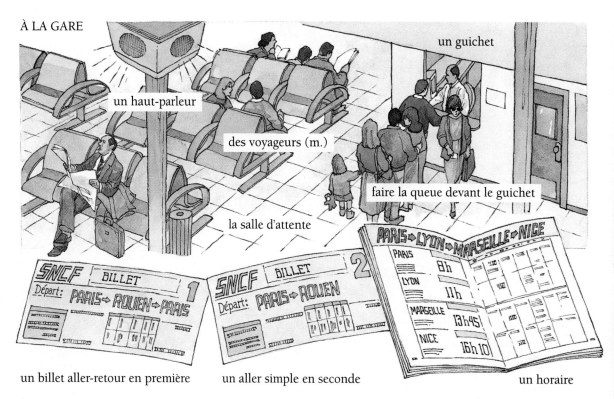

un guichet

un haut-parleur

des voyageurs (m.)

faire la queue devant le guichet

la salle d'attente

un billet aller-retour en première

un aller simple en seconde

un horaire

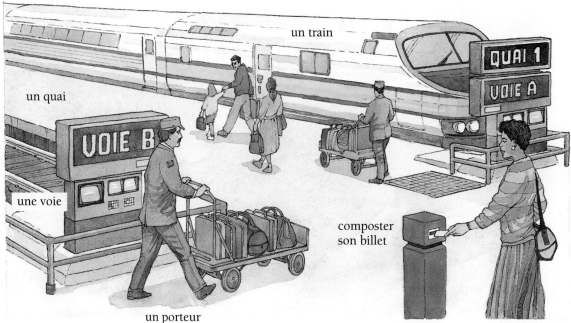

un train

un quai

QUAI 1

VOIE A

VOIE B

une voie

composter
son billet

un porteur

le kiosque

On vend les billets.
On vend les billets au guichet.
On vend des journaux au kiosque.

la consigne

la consigne automatique

Jean met ses bagages à la consigne
    automatique.
Marie-Claire laisse ses bagages à
    la consigne.

Les voyageurs attendent.
Ils sont en avance.
Ils attendent le train dans la salle d'attente.

On annonce le départ du train.
On entend l'annonce au haut-parleur.

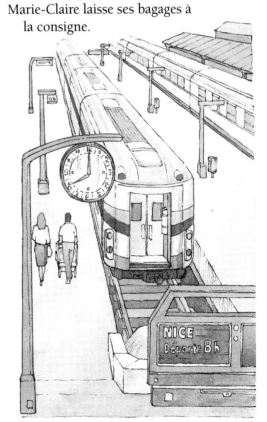

Le train part à l'heure.

Exercices

A **Un voyage en train.** Répondez. *(Answer.)*

1. Les porteurs ou les voyageurs voyagent?
2. On vend les billets au guichet ou à la consigne?
3. On fait la queue devant le guichet ou sur le quai?
4. Les voyageurs achètent ou compostent les billets au guichet?
5. On met ses bagages à la consigne automatique ou au kiosque?
6. On entend l'annonce du départ du train dans la salle d'attente?
7. On fait l'annonce au haut-parleur?
8. Quand on entend l'annonce du départ de son train, on sort ses bagages de la consigne automatique?
9. Les voyageurs vont sur le quai ou au guichet?

B **À la gare.** Donnez des réponses personnelles. *(Give your own answers.)*

1. Tu fais un voyage en train. Où vas-tu?
2. Tu arrives à la gare en avance?
3. Tu achètes ton billet?
4. Tu veux un billet aller-retour ou un aller simple?
5. Tu vas voyager en première ou en seconde?
6. Ton train part à quelle heure?
7. Tu regardes l'horaire?
8. Ton train part de quel quai? De quelle voie?
9. Tu achètes un journal? Où?
10. Ton train part à l'heure ou en avance?

C **Je cherche quel mot?** Répondez. *(Answer.)*

1. Qu'est-ce que c'est un billet Paris–Avignon?
2. Qu'est-ce que c'est un billet Paris–Avignon–Paris?
3. Où est-ce qu'on vend les billets?
4. Où est-ce qu'on vend des journaux?
5. Où est-ce qu'on met ses bagages?
6. Qui aide les voyageurs avec leurs bagages?
7. Où est-ce que les voyageurs attendent le train?
8. Qu'est-ce qu'on consulte pour vérifier l'heure du départ du train?
9. D'où part le train?

La Suisse: Un train rouge dans les Alpes

VOCABULAIRE

MOTS 2

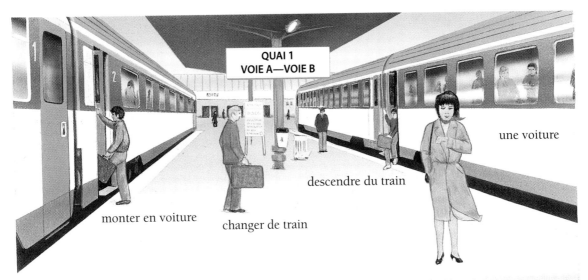

QUAI 1
VOIE A—VOIE B

une voiture

descendre du train

monter en voiture

changer de train

Les voyageurs attendent le prochain
train.

un contrôleur

assis

vérifier le billet

debout

SNCF

La plupart des voyageurs sont assis.
Quelques voyageurs sont debout dans le couloir.

DANS LA VOITURE DU TRAIN

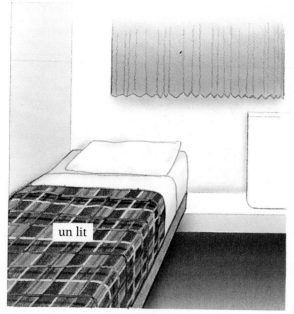

un lit

une voiture-lit

une couchette

Devant la gare Jean attend son ami.
Il attend son ami depuis quarante minutes.
Son ami est en retard.
Jean perd patience!

Exercices

A **De Paris à La Baule.** Répondez d'après les indications. (*Answer according to the cues.*)

1. Pour aller de Paris à La Baule, on change de train? (oui)
2. Où est-ce qu'on change? (à Nantes)
3. Qui crie: «En voiture! En voiture!»? (le contrôleur)
4. Qui aide les voyageurs à descendre leurs bagages sur le quai? (le porteur)
5. Quand le contrôleur crie: «En voiture!», qui monte en voiture? (les voyageurs)
6. Où est-ce que les voyageurs qui vont à La Baule descendent? (à Nantes)
7. Toutes les places sont occupées? (oui)
8. Il y a quelques voyageurs debout? (oui)
9. Où sont-ils debout? (dans le couloir)
10. La plupart des voyageurs sont assis? (oui)
11. Où peut-on dormir dans le train? (dans une voiture-lit ou dans une couchette)

B **Pour aller à La Baule, s'il vous plaît?** Choisissez la bonne réponse. (*Choose the correct answer.*)

1. On change de train pour aller où?
   a. À Nantes.   **b.** À La Baule.   **c.** À la gare.
2. Qui aide les voyageurs avec leurs bagages à la gare?
   a. L'agent.   **b.** Le porteur.   **c.** Le contrôleur.
3. Qui travaille dans le train?
   a. L'agent.   **b.** Le porteur.
   c. Le contrôleur.
4. Qui crie: «En voiture!» avant le départ du train?
   a. L'agent.   **b.** Le porteur.
   c. Le contrôleur.
5. Qu'est-ce que les voyageurs font?
   a. Ils vendent leurs billets.
   b. Ils crient.
   c. Ils montent en voiture.
6. Qu'est-ce que le contrôleur fait?
   a. Il vend les billets.
   b. Il vérifie les billets.
   c. Il fait les valises.

Activités de communication orale

Mots 1 et 2

A **Dans le train ou à la gare?** Look at the list of places below. Choose one, but don't tell your partner which one. Just tell him or her what you're doing there. He/She guesses where you are. Take turns until all the places have been used.

> Élève 1: J'achète mon billet.
> Élève 2: Tu es au guichet.

la consigne automatique   la salle d'attente
le guichet   la voiture-lit
le kiosque   la voiture-restaurant
le quai

B **L'horaire.** Look at the information below. Take turns with a classmate asking and answering questions about it.

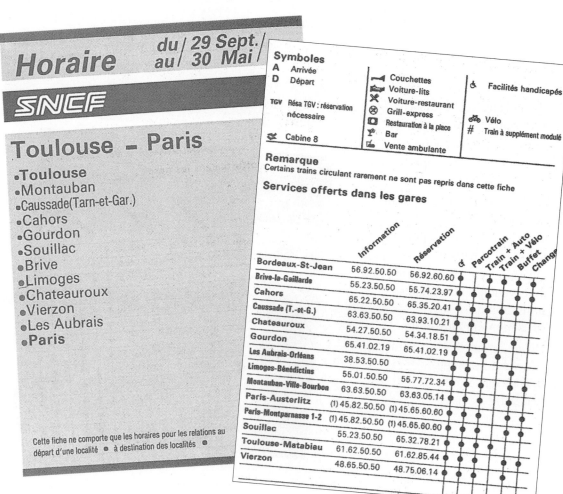

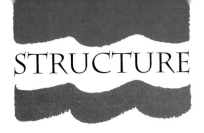

STRUCTURE

Les verbes en -re au présent

Describing People's Activities

1. Another group of regular verbs in French ends in *-re*. Study the following forms.

INFINITIVE	ATTENDRE	VENDRE	
STEM	attend-	vend-	ENDINGS
	j' attends	je vends	-s
	tu attends	tu vends	-s
	il elle } attend on	il elle } vend on	—
	nous attendons	nous vendons	-ons
	vous attendez	vous vendez	-ez
	ils attendent elles attendent	ils vendent elles vendent	-ent

2. Other regular verbs that end in *-re* are *entendre*, "to hear," *répondre*, "to answer," *perdre*, "to lose," and *descendre*, "to go down" or "to get off." Note that the verb *répondre* takes the preposition *à* when followed by a noun.

   Les voyageurs répondent à la question du contrôleur.

3. To increase your vocabulary, study the noun forms of these verbs.

attendre	l'attente
descendre	la descente
perdre	la perte
répondre	la réponse
vendre	la vente

Exercices

A **Les voyageurs.** Répondez d'après les dessins. (*Answer according to the illustrations.*)

1. Les voyageurs attendent le train sur le quai?
2. Ils attendent le train dans la salle d'attente?

3. Ils perdent leurs billets?

4. Ils entendent l'annonce du départ de leur train?
5. Ils descendent du train?

B **De petites conversations dans la gare.** Complétez. (*Complete.*)

1. attendre

    MARTIN: Vous ___ depuis combien de temps?
    PIERRE: Nous ___ depuis cinq minutes. C'est tout.

2. perdre

    CLAUDE: Le train pour Washington est en retard et nous ___ patience.
    MARIE: Vous ___ patience? Pourquoi?
    CLAUDE: Mais il a un retard de deux heures!

3. descendre

    GEORGES: Le porteur ___ vos bagages du train?
    ANNE: Absolument pas! Nous ___ nos bagages nous-mêmes.
    GEORGES: Vous ne voulez pas d'aide?

C **Je vais à Nice en train.** Répondez par «oui». (*Answer "yes."*)

1. Tu attends le train pour Nice?
2. Tu attends depuis quarante minutes?
3. Tu perds patience?

4. Tu entends l'annonce du départ?
5. Tu réponds à la question du contrôleur?
6. Quand tu descends à Nice, tu es fatigué(e)?

D **Dans la salle d'attente.** Complétez. (*Complete.*)

Les voyageurs ___ (attendre) le train dans la salle d'attente. Marc ___
___1___   ___2___
(attendre) le train pour Saint-Malo. Ah, voilà son ami, Luc.

MARC: Bonjour, Luc. Quelle surprise! Tu ___ (attendre) quel train?
                                                 ___3___

LUC: J'___ (attendre) le train pour Saint-Malo.
     ___4___

MARC: Sans blague! Tu vas à Saint-Malo? Pas vrai. Moi aussi, j'y vais.

Les deux garçons ___ (entendre) l'annonce du départ de leur train. Leur train
                 ___5___
part du quai cinq. Ils vont au quai. Les voyageurs qui arrivent ___ (descendre)
                                                       ___6___
leurs bagages du train. Ils ___ (descendre) leurs bagages sur le quai.
                ___7___

Le contrôleur crie: «En voiture! En voiture!» Tout le monde monte dans le train.
Le contrôleur demande aux garçons où ils vont. Luc ___ (répondre) à la
                                                       ___8___
question du contrôleur. Il ___ (répondre): «À Saint-Malo.»
           ___9___

Les adjectifs démonstratifs   *Pointing Out People or Things*

1. You use the demonstrative adjectives to point out people or things. In English the demonstrative adjectives are "this," "that," "these," and "those." Study the following forms of the demonstrative adjectives in French.

	SINGULIER	PLURIEL
FÉMININ	cette voiture cette amie	ces voitures ces amies
MASCULIN	cet ordinateur cet horaire ce train ce billet	ces ordinateurs ces horaires ces trains ces billets

2. Note that you use *cet* before a masculine noun beginning with a vowel or silent *h*.

     cet élève   cet horaire   cet hôtel

3. There is only one plural form, *ces*. Note the liaison with words that begin with a vowel or silent *h*.

     ces élèves   ces horaires   ces hôtels

Exercices

A **Cette personne ou cet individu.** Répondez d'après les dessins.
(Answer according to the illustrations.)

1. Cette fille est intelligente?

2. Cette amie est sympa?

3. Cet élève est sérieux?

4. Cet ami est amusant?

5. Ce copain est aimable?

6. Ce prof est intéressant?

7. Ces filles sont françaises?

8. Ces garçons sont américains?

9. Ces copains vont au même lycée?

B **Tu parles de qui?** Répondez d'après le modèle. *(Answer according to the model.)*

> **Tu parles de quelle fille?**
> *Je parle de cette fille.*

1. Tu parles de quel garçon?
2. Tu parles de quelle amie?
3. Tu parles de quel ami?
4. Tu parles de quels élèves?
5. Tu parles de quels profs?
6. Tu parles de quelle maison?
7. Tu parles de quelles voitures?
8. Tu parles de quel livre?
9. Tu parles de quelles cassettes?
10. Tu parles de quels journaux?

Le verbe *mettre* au présent

Describing People's Activities

1. The verb *mettre*, "to put" or "to place," is irregular. Study the following forms.

METTRE			
je	mets	nous	mettons
tu	mets	vous	mettez
il		ils	
elle	met	elles	mettent
on			

Je mets les billets dans mon sac à dos.

2. The verb *mettre* has several additional meanings.

    a. Il met le couvert.   *He sets the table.*
    b. Il met la télé.   *He turns on the TV.*

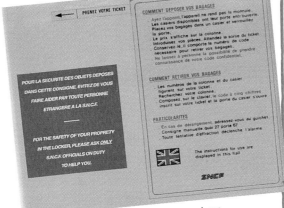

On peut laisser ses affaires à la consigne automatique.

Exercices

A   **On met le couvert.**   Répondez. *(Answer.)*

1. Tu mets le couvert pour le dîner?
2. Tu mets le couteau à gauche ou à droite de l'assiette?
3. Tu mets la cuillère à côté du couteau ou à côté de la fourchette?
4. Tu mets une nappe et des serviettes?

B   **La consigne automatique.**   Complétez avec «mettre». *(Complete with* mettre.*)*

Le garçon est à la gare. Il ___ son billet dans son sac à dos. Il veut laisser son
                                        1

sac à dos à la consigne automatique. Il ___ son sac à la consigne. Il ___ une
                                               2   3

pièce de cinq francs dans la consigne automatique.

C   **Pas le garçon—les garçons!**   Dans l'Exercice B, remplacez *le garçon* par *les garçons* et faites les changements nécessaires. *(Change* le garçon *to* les garçons *in Exercise B and make the necessary changes.)*

D   **Vous mettez…**   Répondez en utilisant «nous». *(Answer with* nous.*)*

1. Vous mettez la radio le soir?
2. Vous mettez la télé après les cours?
3. Vous mettez la chaîne 2 à la télé?
4. Vous mettez les magazines dans le sac à dos?

CONVERSATION

Scènes de la vie *Au guichet*

MARIE: Un billet pour Avignon, s'il vous plaît.
L'EMPLOYÉE: Un aller simple ou un aller-retour?
MARIE: Un aller-retour en seconde, s'il vous plaît.
L'EMPLOYÉE: Bien, Mademoiselle.
MARIE: C'est combien, le billet?
L'EMPLOYÉE: Cent vingt francs, s'il vous plaît.
MARIE: Voilà. Le prochain train part à quelle heure?
L'EMPLOYÉE: À quatorze heures huit, quai numéro sept.
MARIE: Merci, Madame.

A **Un billet pour Avignon.** Répondez d'après la conversation. (*Answer according to the conversation.*)

1. Où va Marie?
2. Elle veut un aller simple ou un aller-retour?
3. Elle voyage en quelle classe?
4. C'est combien, le billet?
5. Le prochain train part à quelle heure?
6. Il part de quel quai?

B **À la gare.** Corrigez les phrases. (*Correct the sentences.*)

1. Marie va à Perpignan.
2. Elle veut un aller simple.
3. Elle voyage en première classe.
4. Le billet coûte vingt dollars.
5. Le prochain train part à deux heures du matin.
6. Il part du quai numéro huit.

Prononciation   *Les sons /õ/ et /ẽ/*

Listen to the difference between the nasal sound /ã/ as in *cent* and the two other nasal sounds, /õ/ as in *sont*, and /ẽ/ as in *cinq: cent/sont/cinq*. Repeat the following words with the sounds /õ/ and /ẽ/.

annonce   cinq
consigne   copain
non   train

Now repeat the following sentences that combine all three nasal sounds.

On annonce le train dans combien de temps?
Nous attendons des copains.

son train

Activités de communication orale

A **Renseignements.**   You're at the Information desk at one of the Paris train stations and need some information. Have a conversation with the SNCF agent (your partner) using the following words or expressions.

à quelle heure
le prochain train pour…
quelle voie
quel quai
voyager en première (en seconde)
c'est combien
changer de train

B **À la gare.**   Work with a classmate. The two of you are traveling in France on a railpass. Using the following expressions, tell how you spent an hour at the train station.

aller au kiosque
regarder et acheter
vendre les billets au guichet
attendre le train
entendre l'annonce
composter le billet
partir de la voie 5
monter dans le train

LECTURE ET CULTURE

LES TRAINS EN FRANCE

Monique Lutz est une élève américaine qui voyage en France. En ce moment elle est à la Gare de Lyon à Paris. Monique part pour Marseille. Sa tante Hélène habite à Marseille. Tous les trains qui partent pour le sud-est partent de cette gare.

Monique va au guichet où elle achète un billet aller-retour en seconde classe. Elle a de la chance[1]. Il n'y a pas de queue devant le guichet. Monique va passer toute la nuit[2] dans le train. Elle va dormir dans le train. Elle réserve (loue) une couchette.

Monique entend l'annonce du départ du train. Elle va sur le quai et monte dans le train. C'est un vieux train à compartiments. En seconde il y a huit places dans chaque compartiment. Monique trouve sa place et met son sac à dos dans le filet au-dessus de sa tête[3].

Le train part à l'heure précise comme toujours en France. Les trains sont excellents. Le train commence à rouler vite[4]. Le contrôleur arrive. Il vérifie les billets. Il parle un peu à Monique. Il est sympa, le contrôleur. Il explique: Si elle a faim et veut manger quelque chose, il y a une voiture-restaurant et un grill-express dans le train. À la voiture-restaurant on sert un dîner complet à prix fixe. Le grill-express offre de la restauration rapide: un petit sandwich, une pizza ou une boisson, par exemple.

[1] a de la chance   *is lucky*
[2] toute la nuit   *the whole night*
[3] filet au-dessus de sa tête   *overhead rack*
[4] commence à rouler vite   *begins to speed up*

Étude de mots

A **Quel est le nom?** Trouvez le nom qui correspond au verbe. (*Find the noun that corresponds to the verb.*)

1. réserver
2. louer
3. annoncer
4. partir
5. commencer
6. arriver
7. expliquer
8. servir

a. la location
b. l'explication
c. la réservation
d. l'annonce
e. le service
f. le départ
g. le commencement
h. l'arrivée

Compréhension

B **Le voyage de Monique.** Choisissez la bonne réponse. (*Choose the correct answer.*)

1. Monique est (française, américaine).
2. Elle voyage (avec ses copains, seule).
3. Elle est à (la Gare de Lyon, la Gare Montparnasse).
4. Elle va à (Nice, Marseille).
5. Elle achète un (aller simple en première, aller-retour en seconde).
6. Monique (est debout, a une place dans un compartiment).
7. C'est un (vieux, nouveau) train.
8. Monique met son sac à dos (sous son siège, dans le filet au-dessus de sa tête).
9. Le train part (en retard, à l'heure précise).
10. On sert un dîner à prix fixe (au grill-express, à la voiture-restaurant).

DÉCOUVERTE CULTURELLE

À Paris il y a cinq grandes gares. Les trains qui partent de chaque gare vont dans des directions différentes. Il y a combien de gares dans votre ville (ou une ville près de chez vous)? Qu'est-ce que vous pensez[1]: Le train est un moyen de transport important en France ou aux États-Unis?

Les trains en France partent presque toujours à l'heure. Ils ne partent pas en retard. Les retards ne sont pas du tout fréquents. Et les trains en France sont très propres[2]. Il y a des différences entre les trains en France et les trains en Amérique?

[1] pensez *think* [2] propres *clean*

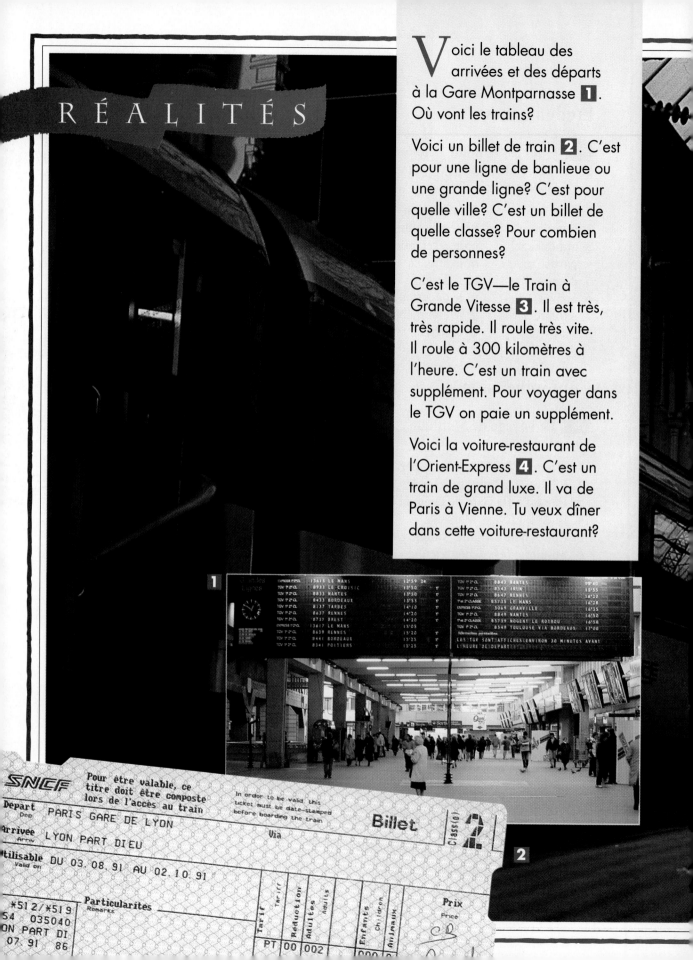

RÉALITÉS

Voici le tableau des arrivées et des départs à la Gare Montparnasse **1**. Où vont les trains?

Voici un billet de train **2**. C'est pour une ligne de banlieue ou une grande ligne? C'est pour quelle ville? C'est un billet de quelle classe? Pour combien de personnes?

C'est le TGV—le Train à Grande Vitesse **3**. Il est très, très rapide. Il roule très vite. Il roule à 300 kilomètres à l'heure. C'est un train avec supplément. Pour voyager dans le TGV on paie un supplément.

Voici la voiture-restaurant de l'Orient-Express **4**. C'est un train de grand luxe. Il va de Paris à Vienne. Tu veux dîner dans cette voiture-restaurant?

1

SNCF
Pour être valable, ce titre doit être composté lors de l'accès au train

In order to be valid this ticket must be date-stamped before boarding the train

Départ PARIS GARE DE LYON
Dép

Arrivée LYON PART DIEU
Arriv

Via

Billet Classe(s) **2**

Utilisable DU 03.08.91 AU 02.10.91
Valid on

Particularités
Remarks

Tarif Tarif Réduction Adultes Adults Enfants Children Animaux

Prix
Price

*512/*519
54   035040
ON PART DI
07.91 86

PT 00 002

2

CULMINATION

Activités de communication orale

A **Le train de nuit.** You're at the French rail information office in Paris and you'd like to take the night train to Nice. Answer the reservations agent's questions.

1. Alors, vous allez à Nice ce soir?
2. Vous voulez réserver une couchette?
3. En première ou en seconde?
4. Vous voulez un aller simple ou un aller-retour?

B **En train ou en avion?** Work with a classmate. One of you makes a statement about a plane trip or a train trip and the other guesses which it is. Take turns.

> Élève 1: On part de la gare.
> Élève 2: C'est un voyage en train.

Activités de communication écrite

A **Un horrible voyage.** Imagine you're taking a train trip and everything goes wrong in the station and on the train. Write a paragraph about your experience.

B **Un voyage extraordinaire.** Your parents have given you a train trip to the U.S. city of your choice. Write a paragraph telling what city you'd like to visit and why. Say when you'd like to go, who you'd like to go with, and how much time you plan to spend there. Say what you'll do at the train station the day you leave.

Réintroduction et recombinaison

A **Elle choisit sa place dans le train.** Complétez. *(Complete.)*

1. Madame Lacoste réserve (loue) une place à l'avance. Elle ___ sa place dans le train. (choisir)
2. Elle ___ une place dans un compartiment de première classe. (choisir)
3. Elle ___ à réserver la place qu'elle veut. (réussir)
4. Elle ___ aux règlements. Elle ne fume pas. (obéir)
5. Le train ___ de la gare à l'heure précise. (sortir)
6. Il ___ pour Marseille. (partir)
7. On ___ le dîner à la voiture-restaurant. (servir)
8. Il y a des serveurs qui ___ le dîner. (servir)
9. Les voyageurs ___ dans les couchettes. (dormir)
10. Le voyageur qui ___ dans une voiture-lit paie un supplément. (dormir)

Vocabulaire

NOMS

la gare
le guichet
le billet
l'aller simple (m.)
le billet aller-retour
l'horaire (m.)
le voyageur
la consigne
la consigne automatique
la salle d'attente
le haut-parleur
l'annonce (f.)
le kiosque
le journal
le porteur
le quai
la voie

le train
la voiture
la couchette
la voiture-lit
le lit
le couloir
le contrôleur

VERBES

changer (de)
composter

laisser
monter
attendre
descendre
entendre
mettre
perdre
répondre
vendre

ADJECTIFS

assis(e)
prochain(e)
quelques

AUTRES MOTS
ET EXPRESSIONS

être à l'heure
être en avance
être en retard
faire la queue
mettre le couvert
perdre patience
debout
depuis
en première
en seconde
la plupart

Le Train Bleu
GARE DE PARIS-LYON 1ᵉʳ ETAGE

Par Judith GLANCY. Tiré de son livre "Not a Station, but a Place" (Synergistic Press)

Spécialités Lyonnaises et Foréziennes.
Dans le Décor classé "Belle Epoque" le plus étonnant de Paris.
RESERVATIONS : 43.43.09.06

LE MONDE FRANCOPHONE

La Cuisine

Les pays francophones ont en commun la langue qu'on y parle, le français. Mais leurs cuisines respectives sont très différentes parce que la cuisine d'un pays est déterminée par ce que produit la terre (land) de cette région. Ce qu'on cultive dans un pays tropical est totalement différent de ce qu'on cultive dans un pays où il fait presque toujours froid (cold). Pour cette raison, par exemple, les Ivoiriens et les Canadiens ne mangent pas la même nourriture.

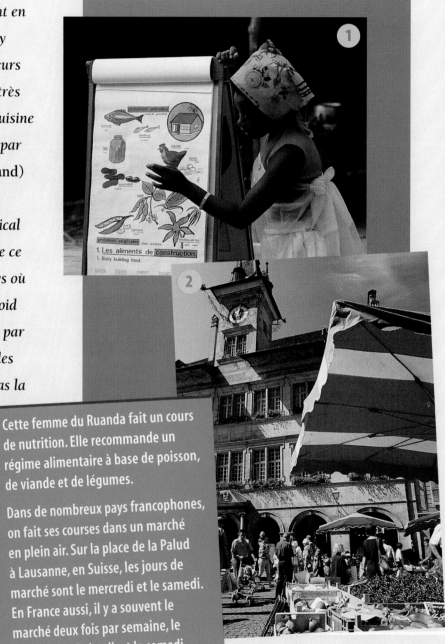

1 Cette femme du Ruanda fait un cours de nutrition. Elle recommande un régime alimentaire à base de poisson, de viande et de légumes.

2 Dans de nombreux pays francophones, on fait ses courses dans un marché en plein air. Sur la place de la Palud à Lausanne, en Suisse, les jours de marché sont le mercredi et le samedi. En France aussi, il y a souvent le marché deux fois par semaine, le mercredi ou le jeudi, et le samedi.

3 Dans ce marché à Conakry, la capitale de la Guinée, on vend des fruits tropicaux, typiques de la région. Les ananas *(pineapples)* et les mangues sont délicieuses. En Guinée, on ne sert pas de gâteaux ou de pâtisseries pour le dessert. On mange des fruits.

4 Les supermarchés existent partout. Dans ce supermarché moderne à Abidjan il y a un très grand choix de produits. Ces deux femmes ivoiriennes bavardent un peu pendant qu'elles font leurs courses.

5 Manger du poisson, c'est bon pour la santé *(health)*. Les gens qui habitent près de la mer mangent beaucoup de poisson. Ces pêcheurs du Bénin ont fait une très belle pêche. Leur filet est plein *(full)*. Ici à Ganvié, la pêche est l'industrie principale. Ganvié est un petit village près de Cotonou, la ville principale du Bénin.

LE MONDE FRANCOPHONE

6

LE MONDE FRANCOPHONE

6 Cet homme est marocain. Il sert du thé à la menthe. Le thé à la menthe est très apprécié dans les pays du Maghreb. Les pays du Maghreb sont les trois pays de l'Afrique du Nord où on parle le français en deuxième langue: le Maroc, l'Algérie et la Tunisie. On sert le thé à la menthe dans un verre, pas dans une tasse. On met beaucoup de sucre dans le thé. Les Maghrébins aiment leur thé bien sucré.

7 La cuisine d'une région dépend des produits ou des aliments disponibles *(available)*. Voici une recette pour un plat africain—les mélongènes *(eggplant)* aux gombos. Le gombo, c'est aussi l'okra. Okra est un mot swahili, une langue parlée par de nombreux Africains. L'okra est à la base de beaucoup de plats africains.

7 *Mélongènes aux gombos*
(Eggplant with okra)

AFRIQUE OCCIDENTALE
Prép: 25 min. - Cuiss: 35 min.
Repos: 1 h. - 4 pers.

500 g de gombos	4 mélongènes
coriandre	2 oignons
cumin	1 gousse d'ail
piment doux	huile d'arachide
gros sel	

Laver les mélongènes et les couper dans le sens de la longueur. Les saupoudrer de gros sel. Les laisser dégorger durant 1 heure.

Les essuyer. Les dorer à l'huile. Les égoutter sur du papier absorbant.

Laver et sécher les gombos. Ôter les queues. Fendre les fruits, les garnir d'épices (coriandre, cumin). Faire cuire le tout pendant 20 minutes dans l'eau bouillante. Égoutter.

Faire fondre dans une cuillerée d'huile une gousse d'ail et les oignons hachés ainsi que le piment doux. Mêler cette préparation aux mélongènes.

Remettre les mélongènes à feu doux en y incorporant les gombos. Servir chaud.

8 La cuisine «cajun» de la Louisiane est renommée (célèbre). Comme la Louisiane est près du Golfe du Mexique, de nombreux plats cajuns sont faits avec des crevettes, des crabes et des écrevisses *(crawfish)*. On sert ces plats, qui sont souvent très épicés *(spicy)*, avec du riz—le riz qu'on cultive dans les bayous de la Louisiane.

9 Le sirop d'érable *(maple)* est un produit typiquement canadien. Les Canadiens font des desserts et des bonbons délicieux avec le sirop d'érable. Dans l'Ontario et au Québec, on tire la sève *(sap)* des érables au début du printemps *(spring)*. Il faut 40 litres de sève pour faire un litre de sirop! Ce petit garçon goûte le sirop. Que c'est bon!

LE MONDE FRANCOPHONE

RÉVISION

CHAPITRES 5–8

Conversation   *Mireille va à New York.*

CHRISTIAN: Tu vas à New York, Mireille?

MIREILLE: Oui, j'y vais la semaine prochaine.

CHRISTIAN: Tu y vas en train ou en avion?

MIREILLE: Je préfère l'avion mais je n'ai pas beaucoup d'argent.

CHRISTIAN: Mais il y a un bon train qui fait Montréal–New York.

MIREILLE: Il part de Montréal à quelle heure?

CHRISTIAN: Il part à 10 heures et arrive à New York à 19 heures.

A **Montréal–New York.**   Répondez d'après la conversation. (*Answer according to the conversation.*)

1. Mireille est canadienne ou américaine?
2. Où est-ce qu'elle va?
3. Quand est-ce qu'elle y va?
4. Comment est-ce qu'elle y va?
5. Elle préfère le train ou l'avion?
6. Il y a un bon train qui fait Montréal–New York?
7. Il part de Montréal à quelle heure?
8. Et il arrive à New York à quelle heure?

Structure

Les verbes en *-ir* et *-re*

1. Review the following forms of regular *-ir* and *-re* verbs.

FINIR	
je fin*is*	nous fin*issons*
tu fin*is*	vous fin*issez*
il/elle/on fin*it*	ils/elles fin*issent*

ATTENDRE	
j'attend*s*	nous attend*ons*
tu attend*s*	vous attend*ez*
il/elle/on attend	ils/elles attend*ent*

Montréal: La Place d'Armes dans la vieille ville

2. Review the following forms of the verbs *sortir, partir, servir,* and *dormir.*

sortir	je sors, tu sors, il/elle/on sort nous sortons, vous sortez, ils/elles sortent
partir	je pars, tu pars, il/elle/on part nous partons, vous partez, ils/elles partent
servir	je sers, tu sers, il/elle/on sert nous servons, vous servez, ils/elles servent
dormir	je dors, tu dors, il/elle/on dort nous dormons, vous dormez, ils/elles dorment

A **Un voyage en train.** Complétez. (*Complete.*)

Nous ___ (partir) en voyage. Maman ___ (attendre) devant le guichet. Elle
___ (choisir) deux places en seconde. Maman ___ (sortir) de l'argent et achète
les billets. Nous ___ (attendre) le train sur le quai. Le train ___ (partir) à
l'heure. Je ___ (sortir) les billets de mon sac à dos. Je ___ (donner) les billets
au contrôleur. Nous ___ (aller) à la voiture-restaurant. Je ___ (choisir) le
menu à prix fixe et Maman aussi ___ (choisir) le menu à prix fixe. Le serveur
___ (servir) le dîner. Nous ___ (finir) notre dîner. Après le dîner nous ___
(dormir) un peu. Les voyageurs ___ (descendre) du train à Nice, leur
destination.

Les verbes *aller, faire, mettre, pouvoir* et *vouloir*

Review the following forms of the irregular verbs below.

aller	je vais, tu vas, il/elle/on va nous allons, vous allez, ils/elles vont
faire	je fais, tu fais, il/elle/on fait nous faisons, vous faites, ils/elles font
mettre	je mets, tu mets, il/elle/on met nous mettons, vous mettez, ils/elles mettent
pouvoir	je peux, tu peux, il/elle/on peut nous pouvons, vous pouvez, ils/elles peuvent
vouloir	je veux, tu veux, il/elle/on veut nous voulons, vous voulez, ils/elles veulent

B **On ne peut pas.** Remplacez le mot en italique par le mot indiqué et faites tous les changements nécessaires. *(Replace the italicized word with the cue and make all necessary changes.)*

> *Tu* veux faire du latin? (vous)   Je ne peux pas.
> *Vous voulez faire du latin?*   *Nous ne pouvons pas.*

1. *Vous* voulez aller au cinéma? (elles)   Non, nous ne pouvons pas.
2. *François* fait les courses? (tu)   Non, il ne peut pas.
3. *Vous* faites le dîner? (il)   Nous voulons bien.
4. *Ils* veulent faire un voyage. (je)   Mais ils ne peuvent pas.
5. *Tu* mets tes bagages à la consigne? (vous)   D'accord. Je veux bien.
6. *Il* va prendre l'avion? (ils)   Non, il ne veut pas.

Le partitif

1. Remember that the partitive, "some," "any," is expressed in French by *de* + the definite article. *De* contracts with *le* to form *du* and with *les* to form *des*. In the negative *du, de la, de l'*, and *des* all become *de* or *d'*.

> Je veux *de* l'argent.   Je *ne* veux *pas d'*argent.
> J'ai *des* croissants.   Je *n'*ai *pas de* croissants.

2. Remember that *un* and *une* also become *de* or *d'* after a negative expression.

> Ils ont *une* maison à Nice.   Ils *n'*ont *pas de* maison à Nice.
> Nous avons *une* orange.   Nous *n'*avons *pas d'*orange.

C **Dans le chariot.** Dites ce qu'il y a dans le chariot. *(Tell what is in the cart.)*

D **J'ai faim.** Répondez d'après le modèle. *(Answer according to the model.)*

> Tu veux du poisson?
> *Non, je ne mange pas de poisson;*
> *je n'aime pas le poisson.*

1. Tu veux du bœuf?
2. Tu veux des œufs aux fines herbes?
3. Tu veux des carottes à la crème?
4. Tu veux du poulet?
5. Tu veux de la salade?
6. Tu veux du gâteau au chocolat?

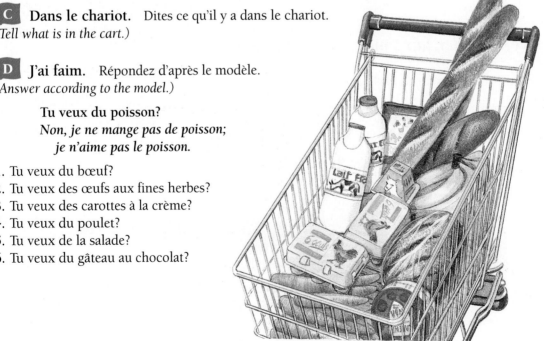

Les contractions *au, aux*

Remember that the preposition *à* contracts with *le* to form *au* and with *les* to form *aux*. It remains unchanged with *la* and *l'*.

On va *à la* montagne.	On va *au* lycée.
On va *à l'*école.	On va *aux* magasins.

E **Où?** Répondez d'après les indications. (*Answer according to the cues.*)

1. Où est-ce qu'on achète du saucisson? (charcuterie)
2. Et du pain? (boulangerie)
3. Et de l'eau minérale? (épicerie)
4. Et du poisson? (marché)
5. À qui est-ce qu'on parle au marché? (marchands)

Les adjectifs possessifs

Review the following forms of the possessive adjectives.

notre appartement	notre maison	nos voitures
votre appartement	votre maison	vos voitures
leur appartement	leur maison	leurs voitures

F **La famille de Pierre et de Louise.** Complétez avec «notre», «votre» et «leur». (*Complete with* notre, votre, *and* leur.)

CAMILLE: Pierre et Louise, ___ famille est grande ou petite?

PIERRE: ___ famille est assez grande.

CAMILLE: Vous avez beaucoup de cousins, n'est-ce pas? Où habitent ___ cousins?

LOUISE: Nous avons des cousins à Lyon et des cousins à Strasbourg. ___ cousins à Strasbourg sont étudiants à l'université, mais ils habitent avec ___ parents à Colmar, près de Strasbourg.

CAMILLE: ___ sœur est à l'université de Strasbourg aussi, n'est-ce pas?

PIERRE: Non, pas ___ sœur. ___ frère est à Strasbourg.

Activités de communication orale et écrite

A **Au restaurant.** With a classmate, make up a conversation between a waiter or waitress and a customer.

B **Un voyage en train.** You and your friends are planning a day trip by train. Write a paragraph describing what you're going to do.

MATHÉMATIQUES: LE SYSTÈME MÉTRIQUE

Avant la lecture

1. Make a list of the weights and measures used in the United States.
2. Research what these weights and measures are based on.
3. Find out from your classmates how much they know about the metric system.

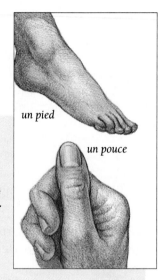

un pied

un pouce

Lecture

Les anciennes mesures comme le pied et le pouce (douze pouces dans un pied) sont basées sur des parties du corps[1] humain. Mais les pouces et les pieds varient d'un pays à l'autre. Les pieds des Américains sont certainement plus grands que les pieds des Français! En France, avant la Révolution de 1789, c'est la même chose; les mesures varient d'une région à l'autre. Après 1789, les révolutionnaires décident de créer des mesures communes à toutes les régions de France.

Deux astronomes français, Méchain et Delambre, mesurent la longueur[2] de la partie de méridien qui va de la ville de Dunkerque en France à la ville de Barcelone en Espagne. Ils calculent la longueur totale de ce méridien. La 40.000.000ᵉ (quarante millionième) partie de cette longueur est adoptée comme unité de mesure de longueur et reçoit le nom de «mètre». C'est de cette manière que le système métrique

est créé. En 1799, le système métrique est déclaré obligatoire en France. La France est le premier pays à adopter ce système de mesures.

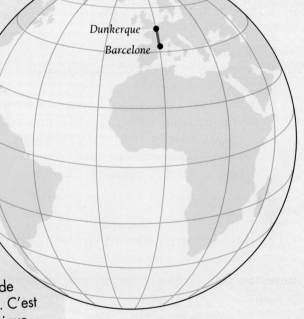

Dunkerque
Barcelone

Aujourd'hui, le système métrique est utilisé par la plupart[3] des pays du monde. Même les pays comme les États-Unis, qui

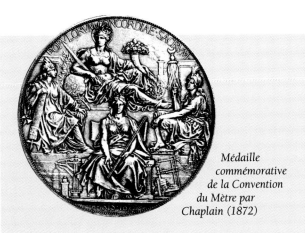

*Médaille
commémorative
de la Convention
du Mètre par
Chaplain (1872)*

utilisent un autre système normalement, utilisent le système métrique pour les sciences.

C'est un système de poids[4] et mesures. Le mètre mesure la longueur, le gramme le poids, et le litre, dérivé des deux autres unités, est une unité de volume. Les unités plus grandes ou plus petites sont formées avec les préfixes suivants:

kilo	× 1 000	kilogramme = 1 000 grammes
hecto	× 100	hectolitre = 100 litres
déca	× 10	décamètre = 10 mètres
déci	: 10	décigramme = 1/10 gramme
centi	: 100	centilitre = 1/100 litre
milli	: 1 000	millimètre = 1/1 000 mètre

Depuis 1962, le système métrique s'appelle le Système International d'Unités. Il a sept unités de base: le mètre, le kilogramme, la seconde, l'ampère, le kelvin (température), la mole (quantité de matière) et la candela (intensité lumineuse).

[1] corps *body*
[2] longueur *length*
[3] la plupart *majority*
[4] poids *weights*

Après la lecture

A **Les poids et les mesures.** Vrai ou faux?

1. Il y a des pays qui n'utilisent pas le système métrique.
2. Les États-Unis n'utilisent pas le système métrique pour les sciences.
3. Les anciennes mesures ont des bases scientifiques.
4. À l'origine, le mètre est basé sur la longueur de la partie de méridien qui va de Dunkerque à Barcelone.
5. Le litre est une unité de volume.
6. Le gramme est une unité de longueur.
7. On dérive les unités plus grandes ou plus petites en ajoutant des préfixes.

B **Combien font… ?** Faites des calculs.

1. 100 cm (centimètres) = ___ mètre(s)
2. 2 kl (kilolitres) = ___ litre(s)
3. 2 000 g (grammes) = ___ kilogrammes

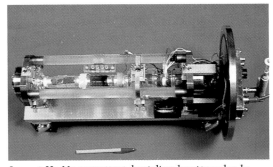

Laser à He-Ne permettant de réaliser le mètre selon la définition adoptée en 1983

C **Une nouvelle définition du mètre.** Depuis 1983, le mètre est basé sur la longueur du trajet (la distance) parcouru dans le vide par la lumière pendant 1/299.792.458 seconde. Expliquez cette nouvelle définition du mètre en anglais.

DIÉTÉTIQUE: UNE ALIMENTATION ÉQUILIBRÉE[1]

Avant la lecture

1. Everybody knows that nutritious foods help you grow. Do you know what the six essential types of nutrients are? If you don't, find out.
2. Make a list of the foods you eat often and of those you rarely eat.
3. Look at the six types of nutrients discussed below and match them with your lists.

Lecture

Le scorbut et le béribéri sont deux maladies[2] causées par une mauvaise alimentation. Elles sont aujourd'hui rares dans les pays industrialisés. Mais il y a encore beaucoup de gens qui ont une mauvaise alimentation. L'alimentation joue un rôle très important dans la préservation de la santé[3].

Quel est le nombre idéal de calories? Tout dépend de la personne, de son métabolisme et de son activité physique. L'âge, le sexe, la taille (grande ou petite) et le climat sont aussi des facteurs. Pour un homme de 25 ans qui fait du sport, c'est 2 900 calories par jour.

Il y a six aliments de base.

1. Les protéines

Les protéines sont particulièrement importantes pour les enfants et les adolescents. Elles aident à fabriquer des cellules. La viande et les œufs contiennent des protéines.

2. Les glucides (les hydrates de carbone en chimie)

Ces aliments sont la source d'énergie la plus efficace pour le corps humain.

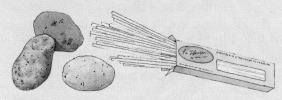

3. Les lipides (les graisses)

Les lipides sont aussi une bonne source d'énergie, mais pour les personnes qui ont un taux de cholestérol élevé, les graisses ne sont pas bonnes. Il faut faire un régime[4] sans graisses, il faut éliminer les graisses.

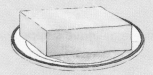
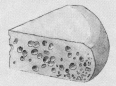

4. Les minéraux

Beaucoup de minéraux sont essentiels pour le corps humain. Le calcium est absolument nécessaire pour les os et les dents[5].

5. Les vitamines

Les vitamines sont indispensables. Il y a deux sortes de vitamines: les vitamines solubles dans l'eau (C et B) et les vitamines solubles dans la graisse (A et D).

- La vitamine A (végétaux, graisses animales) est bonne pour les yeux[6].
- La vitamine C (végétaux et fruits) joue un rôle important dans le métabolisme et est bonne pour la résistance aux infections.
- La vitamine D est la vitamine de la croissance, le développement progressif des jeunes. Pour cette raison, elle est bonne pour les enfants et les adolescents.
- La vitamine B (céréales, légumes) joue un rôle important dans le fonctionnement du foie[7] et des cellules nerveuses.

6. L'eau

L'eau est absolument essentielle au corps humain qui est fait de 65% d'eau.

D'une façon générale, une alimentation équilibrée est essentielle pour être en bonne santé.

[1] alimentation équilibrée *balanced diet*
[2] maladies *illnesses*
[3] santé *health*
[4] faire un régime *to go on a diet*
[5] les os et les dents *bones and teeth*
[6] yeux *eyes*
[7] foie *liver*

Après la lecture

A **La santé.** Choisissez.

1. Le scorbut est ___.
   a. une maladie   b. une alimentation
   c. une vitamine

2. Une bonne alimentation est essentielle pour ___.
   a. l'obésité   b. la santé
   c. la maladie

3. Le nombre de calories idéal dépend de ___.
   a. la personne   b. la durée de la vie
   c. la vitamine

4. La vitamine A est bonne pour ___.
   a. les os   b. les dents
   c. les yeux

5. Le pourcentage d'eau dans le corps humain est de ___.
   a. 20%   b. 65%   c. 90%

6. Pour les personnes qui ont un taux de cholestérol élevé, il ne faut pas ___.
   a. de lipides   b. de minéraux
   c. de vitamines

7. La vitamine D est bonne surtout pour ___.
   a. les malades   b. les enfants
   c. les yeux

B **Les aliments.** Faites une liste des aliments que vous connaissez (*know*) en français et classez-les selon les six catégories.

C **Trois régimes.** Composez trois régimes.

1. un régime pour maigrir (*to lose weight*)
2. un régime pour grossir (*to gain weight*)
3. un régime végétarien

LITTÉRATURE: ANTOINE DE SAINT-EXUPÉRY
(1900–1944)

Avant la lecture

1. Do you know the name of the American who made the first non-stop flight from New York to Paris in 1927? Do you know the name of his plane?
2. Four of Saint-Exupéry's works are mentioned in this reading. Their English titles are *The Little Prince; Night Flight; Wind, Sand, and Stars;* and *Southern Mail.* See if you can match the French and English titles.

Lecture

Saint-Exupéry est un écrivain[1] célèbre. Mais Saint-Exupéry, c'est aussi un homme d'action. Il est né à Lyon en 1900. Pendant son service militaire il apprend à piloter un avion. Il est pilote de ligne entre Toulouse et Dakar en Afrique; il est chef d'aéroplace à Buenos Aires; il participe aux tout premiers vols France–Amérique.

Ses romans[2] reflètent sa carrière de pilote. *Courrier sud* parle de ses vols Toulouse–Casablanca–Dakar; *Vol de Nuit* parle de trois pilotes qui attendent un autre pilote à l'aéroport de Buenos-Aires. Le pilote qu'ils attendent, Fabien, n'arrive pas. Il est en retard. Il est en difficulté dans le ciel noir d'Amérique. Sa femme, Madame Fabien, est affolée, presqu'hystérique. Un des pilotes parle à Madame Fabien: «Madame, je vous en prie. Calmez-vous. Il est fréquent dans notre métier[3] d'attendre longtemps les nouvelles.»

Antoine de Saint-Exupéry
(1900–1944)

Toulouse

Dakar

Dans *Terre des Hommes,* Saint-Exupéry parle de sa carrière et de ses camarades qui sont morts[4]. Il parle d'une vie d'action qui unit les hommes pour toujours, même après la mort.

Saint-Exupéry, le 13 juillet 1944

Pendant la Deuxième Guerre mondiale, il écrit *Le Petit Prince* (1943) où il évoque sa nostalgie de l'amitié et cherche à définir le sens[5] des actions et des valeurs morales de la société moderne dédiée au progrès technique. Un an plus tard le 13 juillet 1944, il disparaît pour toujours dans une mission aérienne militaire. Il reste pour la légende le courageux, le charmant, l'exceptionnel «Saint-Ex».

[1] écrivain *writer*
[2] romans *novels*
[3] métier *profession*
[4] morts *dead*
[5] sens *meaning*

ANTOINE DE SAINT-EXUPÉRY

Le Petit Prince

Avec des aquarelles de l'auteur

nrf
GALLIMARD

Après la lecture

A «Saint-Ex». Répondez.

1. Dans quel livre est-il question de l'Argentine?
2. Dans quel livre est-il question du Maroc?
3. Dans *Le Petit Prince*, Saint-Exupéry évoque la nostalgie de l'amitié. Pourquoi, à votre avis?

B Imaginez. Imaginez ce qui arrive *(what happens)* dans *Vol de Nuit*.

C Lindbergh. Écrivez une courte biographie de Charles Lindbergh en français.

APPENDICES

CARTES

LA FRANCE

L'ANGLETERRE

Mer
rlande

La Mer
du Nord

LES PAYS-BAS

Amsterdam

L'ALLEMAGNE

la Tamise
Londres

La Manche

Calais

Bruxelles

Bonn

LA BELGIQUE

Lille

la Meuse

le Rhin

LE LUXEMBOURG

Luxembourg

Les Îles
Anglo-
Normandes

Cherbourg

Amiens

Le Havre

Metz

Reims

Rouen

la Seine

Strasbourg

Caen

Nancy

LES VOSGES

Paris

la Marne

la Meuse

la Moselle

le Rhin

Troyes

Brest

Rennes

Le Mans

Orléans

la Seine

Chaumont

Ballon de Guebwiller
1424 m

Mulhouse

le Rhin

Angers

Tours

la Loire

Dijon

la Saône

Besançon

L'AUTRICHE

Nantes

Berne

LE JURA

LA SUISSE

Poitiers

le Lac Léman

LA FRANCE

Crêt de la Neige
1723 m

ALPES

L'Océan
Atlantique

La Rochelle

Vichy

Lyon

Genève

Chamonix

Limoges

Clermont-
Ferrand

le Rhône

Mont Blanc
4807 m

LES

St-Étienne

L'ITALIE

Le puy de Sancy
1886 m

Bordeaux

la Dordogne

Grenoble

le Pô

LE MASSIF
CENTRAL

Rodez

la Garonne

le Rhône

Bayonne

Toulouse

Nîmes

Avignon

Nice

Aix-en-
Provence

Cannes

MONACO

Montpellier

Marseille

LES PYRÉNÉES

Toulon

Vignemale
3298 m

Perpignan

L'ANDORRE

l'Ebre

La Corse

Ajaccio

La Mer
Méditerranée

L'ESPAGNE

Madrid

237

N
O   E
S

0   100   200
Kilomètres

La
Sardaigne

4°   0°   4°   8°

LE MONDE FRANCOPHONE

L'Océan Pacifique

L'AUSTRALIE

LE VANUATU
la Nouvelle-Calédonie (Fr)

LE VIÊT-NAM

LE LAOS
LE CAMBODGE

L'ASIE

L'Océan Indien

LES SEYCHELLES

l'île Amsterdam (Fr)

L'ÎLE MAURICE
la Réunion (Fr)

l'île St Paul (Fr)

les Îles Crozet (Fr)

LE LIBAN

L'EUROPE

LE LUXEMBOURG
LA SUISSE
MONACO
la Corse (Fr)

LA TUNISIE

DJIBOUTI

L'AFRIQUE

LA RÉPUBLIQUE CENTRAFRICAINE

LE RUANDA
LE BURUNDI

LES COMORES

Mayotte (Fr)

MADAGASCAR

LE TCHAD

LE NIGER

LE ZAÏRE
LE CONGO

LE GABON

LA BELGIQUE
Paris
LA FRANCE
L'ANDORRE

LE MAROC

L'ALGÉRIE

LE MALI

LE BURKINA FASO

LE BÉNIN
LE TOGO
LE CAMEROUN

LA MAURITANIE
LE SÉNÉGAL
LA GUINÉE
LA CÔTE D'IVOIRE

L'Océan Atlantique

St-Pierre-et-Miquelon (Fr)

le Québec (le Canada)

la Guadeloupe (Fr)
la Martinique (Fr)

la Guyane française (Fr)

L'AMÉRIQUE DU SUD

HAÏTI

L'AMÉRIQUE DU NORD

la Louisiane (les États-Unis)

L'Océan Pacifique

la Polynésie française (Fr)

Tahiti

L'ANTARCTIQUE

PRONONCIATION
ET ORTHOGRAPHE

I. La transcription phonétique

The following are phonetic symbols used in this book.

[a]	la, là, avec	[ã]	dans, encore, temps
[é]	télé, chez, dîner, les	[õ]	non, regardons
[è]	elle, êtes, frère	[ẽ]	fin, demain
[i]	qui, il, lycée, dîne	[œ̃]	un
[ü]	tu, une		
[u]	vous, où, bonjour	[y]	fille, travailler
[ó]	au, beaucoup, allô		
[ò]	homme, alors	[sh]	chez, Michel
[œ]	deux, veut	[zh]	je, âge
[œ]	heure, sœur	[g]	garder, goûter, Guy

II. L'alphabet français

a b c d e f g h i j k l m n o p q r s t u v w x y z
Voyelles: a e i (y) o u
Consonnes: b c d f g h j k l m n p q r s t v w x z

III. Les accents

There are five written accent marks on French letters. These accents are part of the spelling of the word and cannot be omitted.

1. *L'accent aigu* (´) occurs over the letter *e*.

   le téléphone   élémentaire

2. *L'accent grave* (`) occurs over the letters *a, e,* and *u*.

   voilà   frère   où

3. *L'accent circonflexe* (^) occurs over all vowels.

   le château   la fenêtre   le dîner   l'hôtel   août

4. *La cédille* (ç) appears only under the letter *c*. When the letter *c* is followed by an *a, o,* or *u* it has a hard /k/ sound as in *ca*ve, *co*ca, *cu*lmination. The cedilla changes the hard /k/ sound to a soft /s/ sound.

   ça   garçon   commençons   reçu

5. *Le tréma* (¨) indicates that two vowels next to each other are pronounced separately.

   Noël   égoïste

VERBES

A. Verbes réguliers

INFINITIF	**parler** *to speak*	**finir** *to finish*	**répondre** *to answer*
PRÉSENT	je parle tu parles il parle nous parlons vous parlez ils parlent	je finis tu finis il finit nous finissons vous finissez ils finissent	je réponds tu réponds il répond nous répondons vous répondez ils répondent

B. Verbes avec changements d'orthographe
(Verbs with spelling changes)

INFINITIF	**acheter** *to buy*	**manger** *to eat*	
PRÉSENT	j'achète tu achètes il achète nous achetons vous achetez ils achètent	je mange tu manges il mange nous mangeons vous mangez ils mangent	
INFINITIF	**payer** *to pay*	**préférer** *to prefer*	
PRÉSENT	je paie tu paies il paie nous payons vous payez ils paient	je préfère tu préfères il préfère nous préférons vous préférez ils préfèrent	

C. Verbes irréguliers

INFINITIF	**aller** *to go*	**avoir** *to have*	**dormir** *to sleep*
PRÉSENT	je vais tu vas il va nous allons vous allez ils vont	j'ai tu as il a nous avons vous avez ils ont	je dors tu dors il dort nous dormons vous dormez ils dorment
INFINITIF	**être** *to be*	**faire** *to do, to make*	**mettre** *to put*
PRÉSENT	je suis tu es il est nous sommes vous êtes ils sont	je fais tu fais il fait nous faisons vous faites ils font	je mets tu mets il met nous mettons vous mettez ils mettent
INFINITIF	**partir** *to leave*	**pouvoir** *to be able*	
PRÉSENT	je pars tu pars il part nous partons vous partez ils partent	je peux tu peux il peut nous pouvons vous pouvez ils peuvent	
INFINITIF	**sortir** *to go out*	**vouloir** *to want*	
PRÉSENT	je sors tu sors il sort nous sortons vous sortez ils sortent	je veux tu veux il veut nous voulons vous voulez ils veulent	

VOCABULAIRE
FRANÇAIS–ANGLAIS

The *Vocabulaire français–anglais* contains all productive and receptive vocabulary from the text.

The numbers following each productive entry indicate the chapter and vocabulary section in which the word is introduced. For example, **2.2** means that the word first appeared in *Chapitre 2, Mots 2*. **BV** refers to the introductory *Bienvenue* chapter.

The following abbreviations are used in this glossary.

abbrev.	abbreviation
adj.	adjective
adv.	adverb
dem. adj.	demonstrative adjective
dem. pron.	demonstrative pronoun
f.	feminine
fam.	familiar
form.	formal
inf.	infinitive
inform.	informal
inv.	invariable
m.	masculine
n.	noun
pl.	plural
poss. adj.	possessive adjective
prep.	preposition
pron.	pronoun
sing.	singular
subj.	subject

A

à at, in, to, **3.1**
  à l'avance in advance
  à bord de on board, **7.2**
  à côté de next to, **5**
  À demain. See you tomorrow., **BV**
  à destination de to (plane, train, etc.), **7.1**
  à droite de to, on the right of, **5**
  à gauche de to, on the left of, **5**
  à l'heure on time, **8.1**; an (per) hour (speed)
  à mi-temps part-time, **3.2**
  à mon (ton, son, etc.) avis in my (your, his, etc.) opinion
  à l'origine originally
  à peu près about, approximately
  à pied on foot, **5.2**
  à plein temps full-time, **3.2**
  à point medium-rare (meat), **5.2**
  À quelle heure? at what time?, **2**
  À tout à l'heure. See you later., **BV**
absolument absolutely
accepter to accept
l' **achat (m.)** purchase
acheter to buy, **6.1**
l' **action (f.)** action
l' **activité (f.)** activity
l' **addition (f.)** check, bill (restaurant), **5.2**
l' **adolescent(e)** adolescent, teenager
adopter to adopt
adorable adorable
adorer to love, **3.2**
aérien(ne) air, flight (adj.)
  les tarifs aériens airfares
l' **aérogare (f.)** terminal with bus to airport, **7.2**
l' **aéroport (m.)** airport, **7.1**
aérospatial(e) aerospace (adj.)
les **affaires: l'homme (m.) d'affaires** businessman
affolé(e) panic-stricken
africain(e) African
l' **âge (m.)** age, **4.1**
  Tu as quel âge? How old are you? (fam.), **4.1**
l' **agenda (m.)** appointment book, **2.2**

l' **agent (m.)** agent (m. and f.), **7.1**

agréable pleasant

aider to help

aimable nice (person), **1.2**

aimer to like, love, **3.2**

l' **air (m.): en plein air** outdoor(s)

ajouter to add

l' **algèbre (f.)** algebra, **2.2**

l' **aliment (m.)** food

alimentaire: le régime alimentaire diet

l' **alimentation (f.)** nutrition, diet

l' **Allemagne (f.)** Germany

aller to go, **5.1**

l' **aller-retour (m.)** round-trip ticket, **8.1**

l' **aller simple (m.)** one-way ticket, **8.1**

alors so, then, well then

les **Alpes (f. pl.)** the Alps

l' **Américain(e)** American (person)

américain(e) American, **1.1**

l' **ami(e)** friend, **1.2**

l' **amitié (f.)** friendship

ample large, full

amusant(e) funny, **1.1**

l' **an (m.): avoir... ans** to be … years old, **4.1**

l' **ananas (m.)** pineapple

l' **anatomie (f.)** anatomy

ancien(ne) old, ancient; former

l' **anglais (m.)** English (language), **2.2**

l' **animal (m.)** animal

animé(e) lively, animated

l' **année (f.)** year, **4.1**

l' **anniversaire (m.)** birthday, **4.1**

Bon (Joyeux) anniversaire! Happy birthday!

C'est quand, ton anniversaire? When is your birthday? (fam.), **4.1**

l' **annonce (f.)** announcement, **8.1**

annoncer to announce, **8.1**

l' **anthropologie (f.)** anthropology

antipathique unpleasant (person), **1.2**

août (m.) August, **4.1**

apparenté: le mot apparenté cognate

l' **appartement (m.)** apartment, **4.2**

s' **appeler** to be called, be named

apprendre to learn

après after, **3.2**

d'après according to

l' **après-midi (m.)** afternoon, **2**

l' **archipel (m.)** archipelago

l' **architecture (f.)** architecture

l' **argent (m.)** money, **3.2**

l' **armée (f.)** army

l' **arrivée (f.)** arrival, **7.2**

arriver to arrive, **3.1**; to happen

l' **arrondissement (m.)** district (in Paris)

l' **art (m.)** art, **2.2**

l' **ascenseur (m.)** elevator, **4.2**

assez fairly, quite; enough

l' **assiette (f.)** plate, **5.2**

assis(e) seated, **8.2**

l' **astronome (m. et f.)** astronomer

attendre to wait (for), **8.1**

l' **attente (f.): la salle d'attente** waiting room, **8.1**

l' **attention (f.): faire attention** to pay attention, **6**

atterrir to land, **7.1**

l' **atterrissage (m.)** landing (plane)

attirer to attract

au at the, to the, in the, on the (sing.), **5**

au bord de la mer by the ocean, seaside

au contraire on the contrary

au début in the beginning

au-dessous (de) below

au-dessus (de) above

au moins at least

au revoir good-bye, **BV**

augmenter to increase

aujourd'hui today, **2.2**

aussi also, too, **1.1**

l' **autocar (m.)** bus, coach, **7.2**

autre other, **BV**

Autre chose? Anything else? (shopping), **6.2**

aux at the, to the, in the, on the (pl.), **5**

l' **avance (f.): en avance** early, ahead of time, **8.1**

avant before, **7.1**

avec with, **5.1**

Avec ça? What else? (shopping), **6.2**

l' **avion (m.)** plane, **7.1**

en avion by plane; plane (adj.), **7.1**

l' **avis (m.)** opinion

avoir to have, **4.1**

avoir... ans to be … years old, **4.1**

avoir de la chance to be lucky

avoir faim to be hungry, **5.1**

avoir une faim de loup to be very hungry

avoir soif to be thirsty, **5.1**

avril (m.) April, **4.1**

B

le **baccalauréat** French high school exam

les **bagages (m. pl.)** luggage, **7.1**

les **bagages à main** carry-on luggage, **7.1**

la **baguette** loaf of French bread, **6.1**

le **balcon** balcony, **4.2**

la **banane** banana, **6.2**

la **banlieue** suburbs

la **banque** bank

Barcelone Barcelona

base: de base basic

le **bateau** boat

le **bâtiment** building

bavarder to chat, **4.2**

beau (bel) beautiful (m.), handsome, **4**

beaucoup a lot, **3.1**

les **Beaux-Arts (m. pl.)** fine arts

belge Belgian

la **Belgique** Belgium

belle beautiful (f.), **4**

le **béribéri** beriberi

le **beurre** butter, **6.2**

bien fine, well, **BV**

bien cuit(e) well-done (meat), **5.2**

bien élevé(e) well-mannered

bien sûr of course

Bienvenue! Welcome!

le **billet** ticket, **7.1**

le **billet aller-retour** round-trip ticket, **8.1**

la **biologie** biology, **2.2**

la **blague: Sans blague!** No kidding!

blond(e) blond, **1.1**

le **bœuf** beef, **6.1**

la **boisson** beverage, **5.1**

la **boîte de conserve** can of food, **6.2**

bon(ne) correct; good

bon marché (inv.) inexpensive

bonjour hello, **BV**

le **bord: à bord de** aboard (plane, etc.), **7.2**

au bord de la mer by the ocean, seaside

la **botanique** botany

la **boucherie** butcher shop, **6.1**

VOCABULAIRE FRANÇAIS–ANGLAIS   247

la **boulangerie-pâtisserie** bakery, **6.1**
la **bouteille** bottle, **6.2**
la **boutique** shop, boutique
la **Bretagne** Brittany
   breton(ne) Breton, from Brittany
   brun(e) brunette, **1.1**
le **bureau** desk, **BV**
le **bus: en bus** by bus, **5**

C

ça that (dem. pron.), **BV**
   Ça coûte cher. It's (That's) expensive.
   Ça fait combien? How much is it (that)?, **6.2**
   Ça fait... francs. It's (That's) … francs., **6.2**
   Ça va. Fine., OK., **BV**
   Ça va? How's it going?, How are you? (inform.), **BV**
la **cabine** cabin (plane), **7.1**
le **café** café; coffee, **5.1**
le **cahier** notebook, **BV**
la **caisse** cash register, checkout counter, **6.2**
le **calcium** calcium
le **calcul** calculation
la **calculatrice** calculator, **BV**
   calculer to calculate
   calme quiet, calm
   calmer: Calmez-vous. Calm down.
la **calorie** calorie
le/la **camarade** companion, friend
la **campagne** country(side)
   la maison de campagne country house
   canadien(ne) Canadian (adj.)
le **canoë** canoe
la **cantine** school restaurant
la **capitale** capital
la **caractéristique** characteristic
le **carnet** small book
la **carotte** carrot, **6.2**
la **carrière** career
la **carte** menu, **5.1**; map
   la carte de crédit credit card
   la carte de débarquement landing card, **7.2**
   la carte d'embarquement boarding pass, **7.1**
le **cas: en tout cas** in any case
la **cassette** cassette, **3.2**
la **catégorie** category
   causer to cause

ce (cet) (m.) this, that (dem. adj.), **8**
   Ce n'est rien. You're welcome., **BV**
   céder to yield, give up
   célèbre famous, **1.2**
la **cellule** cell
   la cellule nerveuse nerve cell
   cent hundred, **5.2**
le **centre** center, middle
   au centre de in the heart of
   le centre commercial shopping center
les **céréales (f. pl.)** cereal, grains
la **cérémonie** ceremony
   certain(e) certain
   ces (m. et f. pl.) these, those (dem. adj.), **8**
   c'est it is, it's, **BV**
   C'est combien? How much is it?, **BV**
   C'est quand, ton anniversaire? When is your birthday? (fam.), **4.1**
   C'est quel jour? What day is it?, **2.2**
   C'est tout? Is that all?, **6.2**
   cette (f.) this, that (dem. adj.), **8**
   chacun(e) each (one)
la **chaîne** chain
la **chaise** chair, **BV**
la **chambre à coucher** bedroom, **4.2**
le **champ** field
   le champ de manœuvres parade ground
la **chance** luck
   avoir de la chance to be lucky
   changer (de) to change, **8.2**
   chanter to sing, **3.2**
   chaque each, every
la **charcuterie** deli, **6.1**
le **chariot** shopping cart
   charmant(e) charming
le **chat** cat, **4.1**
le **château** castle, mansion
les **chaussons (m. pl.)** slippers
le **chef** head, boss
   cher, chère dear; expensive
   Ça coûte cher. It's expensive.
   chercher to look for, seek, **5.1**
   chez at the home (business) of, **5**
le **chien** dog, **4.1**
la **chimie** chemistry, **2.2**
   chinois(e) Chinese
le **chocolat: au chocolat** chocolate (adj.), **5.1**
   choisir to choose, **7.1**

le **choix** choice
le **cholestérol** cholesterol
la **chose** thing
   Chouette! Great! (inform.), **2.2**
   ciao good-bye (inform.), **BV**
   ci-dessus above (adv.)
le **ciel** sky
le **cinéma** movie theater, movies
   cinq five, **BV**
   cinquante fifty, **BV**
le **citron pressé** lemonade, **5.1**
la **classe** class (people), **2.1**; class (course)
   en classe économique in coach class (plane)
   classer to classify
le/la **client(e)** customer
le **climat** climate
le **coca** Coca-Cola, **5.1**
le **coin: du coin** neighborhood (adj.)
le **collège** junior high, middle school
   coloniser to colonize
   combien (de) how much, how many, **6.2**
   Ça fait combien? How much is it (that)?, **6.2**
   C'est combien? How much is it (that)?, **BV**
   comique funny, **1.2**
   commander to order, **5.1**
   comme like, as; for
   Et comme dessert? What would you like for dessert?
le **commencement** beginning
   commencer to begin
   comment how, what, **1.2**
   Comment est... ? What is … like? (description), **1.1**
   Comment vas-tu? How are you? (fam.), **BV**
le/la **commerçant(e)** merchant, businessman (woman)
   commun(e) common
le **compact disc** compact disc, **3.2**
la **compagnie aérienne** airline, **7.1**
le **compartiment** compartment, **7.2**
   complet, complète full, complete
   compléter to complete
le **comportement** behavior
   composter to stamp, validate (a ticket), **8.1**
   compris(e) included (in the bill)
   Le service est compris. The tip is included., **5.2**
le **comptoir** counter, **7.1**

le **comte** count
  confiant(e) confident, **1.1**
  confortable comfortable
  connaître to know
la **conserve: la boîte de conserve**
  can of food, **6.2**
la **consigne** checkroom, **8.1**
  la consigne automatique
    locker, **8.1**
  construit(e) built
le **conte** tale
  contenir to contain
  content(e) happy, **1.1**
le **contraire** opposite
  au contraire on the contrary
le **contrôle de sécurité** security
  (airport), **7.1**
  passer par le contrôle de
    sécurité to go through
    security (airport), **7**
le **contrôleur** conductor, **8.2**
la **conversation** conversation
le **copain** friend, pal (m.), **2.1**
la **copine** friend, pal (f.), **2.1**
le **corps** body
  correspondre to correspond
  corriger to correct
la **côte** coast
  la Côte d'Azur French
    Riviera
  la Côte d'Ivoire Ivory Coast
le **côté** side
  côté couloir aisle (seat) (adj.),
    7.1
  côté fenêtre window (seat)
    (adj.), **7.1**
la **couchette** bunk (on a train), **8.2**
le **couloir** aisle, corridor, **8.2**
la **cour** courtyard, **4.2**
  courageux, courageuse
    courageous, brave
le **courrier** mail service
le **cours** course, class, **2.2**
les **courses (f. pl.): faire les**
  courses to go grocery
  shopping, **6.1**
le/la **cousin(e)** cousin, **4.1**
le **couteau** knife, **5.2**
  coûter to cost
  Ça coûte cher. It's (That's)
    expensive.
la **coutume** custom
le **couvert** table setting, **5.2**
  mettre le couvert to set the
    table, **8**
le **crabe** crab, **6.1**
la **craie: le morceau de craie**
  piece of chalk, **BV**
le **crayon** pencil, **BV**
la **crèche** day-care center

  créer to create
la **crème** cream, **6.1**
le **crème** coffee with cream (in a
  café), **5.1**
la **crémerie** dairy store, **6.1**
le **créole** Creole (language)
la **crêpe** crepe, pancake, **5.1**
la **crêperie** crepe restaurant
  crevé(e) exhausted
la **crevette** shrimp, **6.1**
  crier to shout
la **croissance** growth
le **croissant** croissant, crescent
  roll, **6.1**
le **croque-monsieur** grilled ham
  and cheese sandwich, **5.1**
  croustillant(e) crusty
la **cuillère** spoon, **5.2**
la **cuisine** kitchen, **4.2**; cuisine
  (food)
  faire la cuisine to cook, **6**
  cuit(e): bien cuit(e) well-done
    (meat), **5.2**
  culturel(le) cultural

D

  d'accord OK, **3**
  être d'accord to agree, **2.1**
  dans in, **BV**
la **danse** dance
  danser to dance, **3.2**
  d'après according to
la **date: Quelle est la date**
  aujourd'hui? What is today's
  date?, **4.1**
  de from, **1.1**; of, belonging to, **5**
  de bonne heure early
  De rien. You're welcome.
    (inform.), **BV**
le **débarquement** landing,
  deplaning
  débarquer to get off (plane), **7.2**
  debout standing, **8.2**
le **décalage horaire** time
  difference
  décembre (m.) December, **4.1**
  décider to decide
  déclarer to declare
  décoller to take off (plane), **7.1**
la **découverte** discovery
  décrire to describe
  dédié(e) dedicated
  définir to define
la **définition** definition
  dehors outside
  en dehors de outside (of)
le **déjeuner** lunch
  déjeuner to eat lunch, **5.2**

  délicieux, délicieuse delicious
  demain tomorrow, **2.2**
  À demain. See you
    tomorrow., **BV**
  demander to ask (for)
  demi(e) half
  et demie half past (time)
le **demi-kilo** half a kilo
la **dent** tooth
le **départ** departure, **7.1**
le **département d'outre-mer**
  French overseas department
  dépendre (de) to depend (on)
  dépenser to spend (money)
  depuis since, for, **8.2**
  dériver to derive
  derrière behind, **BV**
  des some, any, **3; 6**; of the, from
    the (pl.), **5**
  désagréable unpleasant, **1.2**
  descendre to get off (train, bus,
    etc.), **8.2**; to take down, **8**
la **descente** descent; getting off
  (bus, etc.)
  désirer to want
  Vous désirez? May I help
    you? (store); What would
    you like? (café, restaurant)
le **dessert** dessert
  desservir to serve, fly to, etc.
    (transportation)
le **dessin** illustration, drawing
  dessous: au-dessous (de)
    below
  dessus: au-dessus (de) above
le **détergent** detergent
  détester to hate, **3.2**
  deux two, **BV**
  tous (toutes) les deux both
  deuxième second, **4.2**
  la Deuxième Guerre
    mondiale World War II
  deuxièmement second of all,
    secondly
  devant in front of, **BV**
le **développement** development
le **devoir** homework (assignment),
  BV
  faire les devoirs to do
    homework, **6**
la **différence** difference
  différent(e) different
  difficile difficult, **2.1**
la **difficulté: être en difficulté** to
  be in trouble
  dimanche (m.) Sunday, **2.2**
le **dîner** dinner, **4.2**
  dîner to eat dinner, **4.2**
  diplômé(e): être diplômé(e) to
    graduate

dire to say, tell

la **direction** direction

disparaître to disappear

disponible available

le **disque** record, 3.2

la **disquette** diskette (computer)

la **distance** distance

divisé(e) divided

le **divorce** divorce

dix ten, BV

dix-huit eighteen, BV

dix-neuf nineteen, BV

dix-sept seventeen, BV

le **dollar** dollar, 3.2

le **domaine** domain, field

donner to give, 3.2

  donner une fête to throw a party, 3.2

  donner sur to face, overlook

dormir to sleep, 7.2

la **douane** customs, 7.2

  passer à la douane to go through customs, 7.2

la **douzaine** dozen, 6.2

douze twelve, BV

droite: à droite de to, on the right of, 5

du of the, from the (sing.), 5; some, any, 6

  du coin neighborhood (adj.)

la **durée** length (of time)

E

l' **eau (f.)** water

  l'eau minérale mineral water, 6.2

l' **école (f.)** school, 1.2

  l'école primaire elementary school

  l'école secondaire junior high, high school

l' **écolier, l'écolière** pupil, schoolchild

écouter to listen (to), 3.1

l' **écran (m.)** screen, 7.1

l' **écrevisse (f.)** crawfish

écrire to write

l' **écrivain (m.)** writer (m. and f.)

l' **éducation (f.) civique** social studies, 2.2

l' **éducation (f.) physique** physical education

efficace efficient

électrique electric

l' **élément (m.)** element

l' **élève (m. et f.)** student, 1.2

élevé(e) high

bien élevé(e) well brought-up

éliminer to eliminate

elle she, it, 1

elles they (f.), 2

l' **embarquement (m.)** boarding, leaving

embarquer to board (plane, etc.), 7.2

l' **emploi (m.) du temps** schedule

en in

  en avance early, ahead of time, 8.1

  en avion plane (adj.), by plane, 7.1

  en ce moment right now

  en classe in class

  en dehors de outside (of)

  en plein(e) (+ nom) right in, on, etc. (+ noun)

  en plein air outdoor(s)

  en première in first class, 8.1

  en provenance de arriving from (flight), 7.1

  en retard late, 8.2

  en seconde in second class, 8.1

  en ville in town, in the city

encore still (adv.); another

l' **énergie (f.)** energy

énergique energetic, 1.2

l' **enfant (m. et f.)** child (m. and f.), 4.1

ensemble together, 5.1

entendre to hear, 8.1

entre between, among

l' **entrée (f.)** entrance, 4.2

entrer to enter, 3.1

épicé(e) spicy

l' **épicerie (f.)** grocery store, 6.1

l' **époque (f.)** age, time

équilibré(e) balanced

l' **érable (m.)** maple (tree)

  le sirop d'érable maple syrup

l' **Espagne (f.)** Spain

l' **espagnol (m.)** Spanish (language), 2.2

essentiel(le) essential

l' **est (m.)** east

et and, 1

  et toi? and you? (fam.), BV

établir to establish

l' **étage (m.)** floor (of a building), 4.2

l' **étal (m.)** (market) stall

l' **état (m.)** state

les **États-Unis (m. pl.)** United States

étranger, étrangère foreign

être to be, 2.1

être à l'heure to be on time, 8.1

être d'accord to agree, 2.1

être en avance to be early, 8.1

être en retard to be late, 8.2

l' **étudiant(e)** (university) student

étudier to study, 3.1

évoquer to evoke

l' **examen (m.)** test, exam, 3.1

  passer un examen to take a test, 3.1

  réussir à un examen to pass a test, 7

excellent(e) excellent

exceptionnel(le) exceptional

l' **exemple (m.)** example

  par exemple for example

expliquer to explain

l' **explorateur (m.)** explorer

explorer to explore

l' **express (m.)** espresso, black coffee, 2.2

expulser to expel, banish

exquis(e) exquisite

l' **extérieur (m.)** exterior, outside

extra terrific (inform.), 2.2

extraordinaire extraordinary

F

fabriquer to make

facile easy, 2.1

la **façon** way, manner

le **facteur** factor

facultatif, facultative elective

faire to do, make, 6.1

  faire l'annonce to announce, 8

  faire attention to pay attention, 6

  faire les courses to do grocery shopping, 6.1

  faire la cuisine to cook, 6

  faire les devoirs to do homework, 6

  faire enregistrer to check (luggage), 7.1

  faire des études to study, 6

  faire du français (des maths, etc.) to study French (math, etc.), 6

  faire la navette to go back and forth

  faire un pique-nique to have a picnic, 6

  faire la queue to wait in line, 8.1

faire un régime to go on a diet
faire les valises to pack (suitcases), **7.1**
faire un voyage to take a trip, **7.1**
le **fait** fact
fait(e) à la main handmade
la **famille** family, **4.1**
  la famille à parent unique single-parent family
fantastique fantastic, **1.2**
fatigué(e) tired
la **faute** mistake
favori(te) favorite
la **femme** woman, **2.1**; wife, **4.1**
la **fenêtre** window
  côté fenêtre window (seat) (adj.), **7.1**
la **fête** party, **3.2**
  donner une fête to throw a party, **3.2**
la **feuille de papier** sheet of paper, **BV**
février (m.) February, **4.1**
le **filet** net shopping bag, **6.1**; rack (train); fishing net
la **fille** girl, **BV**; daughter, **4.1**
le **film** film, movie
le **fils** son, **4.1**
fines herbes: aux fines herbes with herbs, **5.1**
finir to finish, **7**
fixe: à prix fixe at a fixed price
le/la **flamand(e)** Flemish (person)
flambé(e) flaming
flâner to stroll
le **fleuve** river
le **foie** liver
le **fonctionnement** functioning
fondé(e) founded
la **forme** form, shape
former to form
la **fourchette** fork, **5.2**
la **fraise** strawberry
le **français** French (language), **2.2**
le/la **Français(e)** Frenchman (woman)
français(e) French, **1.1**
la **France** France
franchement frankly
francophone French-speaking
fréquent(e) frequent
fréquenter to frequent, patronize
le **frère** brother, **1.2**
les **frites (f. pl.)** French fries, **5.1**
le **fromage** cheese, **5.1**
la **frontière** border
le **fruit** fruit, **6.2**

fumer to smoke
fumeurs (adj. inv.) smoking (section), **7.1**
  non-fumeurs no smoking (section), **7.1**
la **fusée** rocket

G

gagner to earn, **3.2**
le **garage** garage, **4.2**
le **garçon** boy, **BV**
la **gare** train station, **8.1**
gastronomique gastronomic, gourmet
le **gâteau** cake, **6.1**
gauche: à gauche de to, on the left of, **5**
le **général** general, **7**
général(e) general
  en général in general
généralement generally
le **genre** type, kind
les **gens (m. pl.)** people
la **géographie** geography, **2.2**
la **géométrie** geometry, **2.2**
géométrique geometric
la **glace** ice cream, **5.1**
la **glucide** carbohydrate
gourmand(e) fond of eating
goûter to taste
le **gouvernement** government
la **graisse** fat
  la graisse animale animal fat
la **grammaire** grammar
le **gramme** gram, **6.2**
grand(e) tall, big, **1.1**
  de grand standing luxury (adj.)
la **grand-mère** grandmother, **4.1**
le **grand-père** grandfather, **4.1**
les **grands-parents (m. pl.)** grandparents, **4.1**
le **grill-express** snack bar (train)
grossir to gain weight
la **guerre: la Deuxième Guerre mondiale** World War II
le **guichet** ticket window, **8.1**
la **gymnastique** gymnastics, **2.2**

H

l' **habitant(e)** resident (m. and f.)
habiter to live (in a city, house, etc.), **3.1**
les **haricots (m. pl.) verts** green beans, **6.2**
haut(e) high

du haut de from the top of
en haut de to, at the top of
le **haut-parleur** loudspeaker, **8.1**
l' **heure (f.)** time (of day), **2**
  à quelle heure? at what time?, **2**
  À tout à l'heure. See you later., **BV**
  de bonne heure early
  être à l'heure to be on time, **8.1**
  Il est quelle heure? What time is it?, **2**
l' **hexagone (m.)** hexagon
l' **histoire (f.)** history, **2.2**
l' **hiver (m.)** winter
le **H.L.M.** low-income housing
l' **homme (m.)** man, **2.1**
  l'homme d'affaires businessman
l' **horaire (m.)** schedule, timetable, **8.1**
l' **hôtel (m.)** hotel
l' **hôtesse (f.) de l'air** flight attendant (f.), **7.2**
huit eight, **BV**
humain(e) human
l' **hydrate (m.) de carbone** carbohydrate
hystérique hysterical

I

idéal(e) ideal
l' **idée (f.)** idea
identifier to identify
l' **igname (f.)** yam
il he, it, **1**
  Il est... heure(s). It's ... o'clock., **2**
  Il est quelle heure? What time is it?, **2**
  il faut (+ nom) (noun) is (are) needed
  Il n'y a pas de quoi. You're welcome., **BV**
  il y a there is, there are, **4.2**
l' **île (f.)** island
ils they (m.), **2**
l' **immeuble (m.)** apartment building, **4.2**
l' **immigration (f.)** immigration, **7.2**
  passer à l'immigration to go through immigration (airport), **7.2**
impatient(e) impatient, **1.1**
important(e) important
inclure to include

incroyable incredible
l' **Inde (f.)** India
l' **indication (f.)** cue
indiquer to indicate
industrialisé(e) industrialized
l' **industrie (f.)** industry
l' **infection (f.)** infection
l' **informatique (f.)** computer science, **2.2**
l' **institution (f.)** institution
l' **instrument (m.)** instrument
intelligent(e) intelligent, **1.1**
intéressant(e) interesting, **1.1**
intéresser to interest
l' **intérieur (m.)** interior, inside
intérieur(e) domestic (flight), **7.1**
international(e) international, **7.1**
inviter to invite, **3.2**
isolé(e) isolated
italien(ne) Italian
ivoirien(ne) from the Ivory Coast

J

le **jambon** ham, **5.1**
janvier (m.) January, **4.1**
le **jardin** garden, **4.2**
je I, **1.2**
Je t'en prie. You're welcome. (inform.), **BV**
je voudrais I would like, **5.1**
Je vous en prie. You're welcome. (form.), **BV**; Please, I beg of you.
jeudi (m.) Thursday, **2.2**
la **jeune fille** girl
jeune young, **4.1**
les **jeunes (m. pl.)** young people
joli(e) pretty, **4.2**
jouer to play
le **jour** day, **2.2**
C'est quel jour? What day is it?, **2.2**
par jour a (per) day, **3**
tous les jours every day
le **journal** newspaper, **8.1**
la **journée** day
juillet (m.) July, **4.1**
juin (m.) June, **4.1**
jusqu'à until

K

le **kilo(gramme)** kilogram, **6.2**
le **kilomètre** kilometer

le **kiosque** newsstand, **8.1**

L

la the (f.), **1**
là-bas over there, **BV**
le **laboratoire** laboratory
le **lac** lake
laisser to leave (something behind), **5.2**
laisser un pourboire to leave a tip, **5.2**
le **lait** milk, **6.1**
la **laitue** lettuce, **6.2**
la **langue** language, **2.2**
le **latin** Latin, **2.2**
la **latitude** latitude
le the (m.), **1**
la **lecture** reading
la **légende** legend
le **légume** vegetable, **6.2**
les the (pl.), **2**
leur their (sing. poss. adj.), **5**
leurs their (pl. poss. adj.), **5**
le **lexique** vocabulary
libre free, **2.2**
le **lieu** place
la **ligne** line
les grandes lignes main lines (trains)
les lignes de banlieue commuter trains
la **limonade** lemon-lime drink
la **lipide** fat
le **lit** bed, **8.2**
le **litre** liter, **6.2**
la **littérature** literature, **2.2**
la **livre** pound, **6.2**
le **livre** book, **BV**
loin de far from, **4.2**
le **long: le long de** along
long(ue) long
la **longitude** longitude
longtemps (for) a long time
la **longueur** length
louer to rent
la **lumière** light
lundi (m.) Monday, **2.2**
le **luxe** luxury
le **lycée** high school, **1.2**
le/la **lycéen(ne)** high school student

M

ma my (f. sing. poss. adj.), **4**
Madame (Mme) Mrs., Ms., **BV**
Mademoiselle (Mlle) Miss, Ms., **BV**

le **magasin** store, **3.2**
le **magazine** magazine, **3.2**
mai (m.) May, **4.1**
maigrir to lose weight
la **main: fait(e) à la main** handmade
maintenant now, **2.1**
mais but, **1**
la **maison** house, **3.1**
le **maître d'hôtel** maitre d', **5.2**
mal: Pas mal. Not bad., **BV**
la **maladie** illness
la **Manche** English Channel
manger to eat
la **mangue** mango
la **manière** manner, way
avoir de bonnes manières to have good manners
le/la **marchand(e) (de fruits et légumes)** (produce) seller, **6.2**; merchant
le **marché** market, **6.2**
mardi (m.) Tuesday, **2.2**
le **mari** husband, **4.1**
le **mariage** marriage
le **Maroc** Morocco
le/la **Marocain(e)** Moroccan (person)
mars (m.) March, **4.1**
martiniquais(e) from Martinique
la **Martinique** Martinique
les **mathématiques (f. pl.)** mathematics
les **maths (f. pl.)** math, **2.2**
la **matière** subject (school), **2.2**; matter
le **matin** morning, in the morning, **2**
du matin in the morning, A.M., **2**
mauvais(e) bad
la **médaille** medal
le **membre** member
même same (adj.), **2.1**; even (adv.)
la **menthe: le thé à la menthe** mint tea
le **menu: le menu touristique** budget (fixed price) meal
la **mer** sea
la mer des Caraïbes Caribbean Sea
la mer Méditerranée Mediterranean Sea
merci thank you, **BV**
mercredi (m.) Wednesday, **2.2**
la **mère** mother, **4.1**
le **méridien** meridian
mes my (pl. poss. adj.), **4**
la **mesure** measurement

sur mesure tailor-made
mesurer to measure
le **métabolisme** metabolism
le **métier** profession
le **mètre** meter
métrique metric
le **métro** subway, **4.2**
  en métro by subway, **5.2**
  la station de métro subway station, **4.2**
  mettre to put (on), to place, **8.1**; to turn on (appliance), **8**
  mettre le couvert to set the table, **8**
le **microscope** microscope
midi (m.) noon, **2.2**
le **militaire** soldier
militaire military
mille (one) thousand, **6.2**
le **minéral** mineral
minuit (m.) midnight, **2.2**
la **mission** mission
moche terrible, ugly, **2.2**
le **modèle** model
moderne modern
modeste modest, reasonably priced
moi me, **1.2**
moins less
  au moins at least
  Il est une heure moins dix. It's ten to one. (time), **2**
le **mois** month, **4.1**
le **moment: en ce moment** right now
mon my (m. sing. poss. adj.), **4**
le **monde** world
  tout le monde everyone, everybody, **BV**
  Monsieur (M.) Mr., sir, **BV**
la **montagne** mountain
monter to get on, get in, **8.2**
moral(e) moral
le **morceau de craie** piece of chalk, **BV**
mort(e) dead
la **mort** death
la **mosquée** mosque
le **mot** word
  le mot apparenté cognate
la **moutarde** mustard, **6.2**
le **moyen de transport** mode of transportation
municipal(e) municipal
musclé(e) muscular
la **musique** music, **2.2**
le/la **musulman(e)** Muslim (person)

N

la **nappe** tablecloth, **5.2**
la **nation** nation
national(e) national
nature plain (adj.), **5.1**
la **navette: faire la navette** to go back and forth
ne... pas not, **1.2**
né: il est né he was born
nécessaire necessary
le **néerlandais** Dutch (language)
négatif, négative negative
la **neige** snow
nerveux, nerveuse nervous
  les cellules nerveuses nerve cells
n'est-ce pas? `isn't it?, doesn't it (he, she, etc.)?, **1.2**
neuf nine, **BV**
le **neveu** nephew, **4.1**
la **nièce** niece, **4.1**
noir(e) black
  le tableau noir blackboard, **3.1**
le **nom** name; noun
le **nombre** number, **5.2**
nommer to name, mention
non no
  non-fumeurs no smoking (section), **7.1**
le **nord** north
normalement normally, usually
nos our (pl. poss. adj.), **5**
la **nostalgie** nostalgia
notre our (sing. poss. adj.), **5**
la **nourriture** food
nous we, **2**
nouveau (nouvel) new (m.), **4**
nouvelle new (f.), **4**
les **nouvelles (f. pl.)** news
novembre (m.) November, **4.1**
la **nuit** night
le **numéro** number
  Quel est le numéro de téléphone de... ? What is the phone number of ... ?, **5**

O

obéir (à) to obey, **7**
obligatoire mandatory
occidental(e) western
occupé(e) busy, **2.2**
occuper to occupy
l' **océan (m.)** ocean
octobre (m.) October, **4.1**

l' **odeur (f.)** scent, smell
l' **œil (m., pl. yeux)** eye
l' **œuf (m.)** egg, **6.2**
officiel(le) official
offrir to offer, give
l' **oignon (m.)** onion, **6.2**
l' **omelette (f.)** omelette, **5.1**
  l'omelette aux fines herbes omelette with herbs, **5.1**
  l'omelette nature plain omelette, **5.1**
on we, they, people, **3**
  On y va.(?) Let's go.; Shall we go?, **5**
l' **oncle (m.)** uncle, **4.1**
onze eleven, **BV**
l' **orange (f.)** orange, **6.2**
l' **Orangina (m.)** orange soda, **5.1**
l' **ordinateur (m.)** computer, **BV**
original(e) original
l' **origine: à l'origine** originally
l' **os (m.)** bone
ou or, **1.1**
où where, **BV**
l' **ouest (m.)** west
oui yes, **1**

P

le **pain** bread, **6.1**
la **palme** palm frond
la **papeterie** stationery store
le **papier** paper, **6**
  la feuille de papier sheet of paper, **BV**
le **paquet** package, **6.2**
par by, through
  par exemple for example
  par jour a (per) day, **3**
  par semaine a (per) week, **3.2**
le **paragraphe** paragraph
le **parallèle** parallel
le **parc** park
parcourir to travel, go through
pardon excuse me, pardon me
les **parents (m. pl.)** parents, **4.1**
parisien(ne) Parisian
le **parking** parking lot
parler to speak, talk, **3.1**
  parler au téléphone to talk on the phone, **3.2**
participer (à) to participate (in)
particulièrement particularly
la **partie** part
partir to leave, **7.1**
partout everywhere
pas not
pas de (+ nom) no (+ noun)

Pas de quoi. You're welcome. (inform.), **BV**
pas du tout not at all
Pas mal. Not bad., **BV**
le **passager,** la **passagère** passenger, **7.1**
le **passé** past
le **passeport** passport, **7.1**
passer to spend (time), **3**; to pass, go through
  passer à la douane to go through customs, **7.2**
  passer à l'immigration to go through immigration
  passer par le contrôle de sécurité to go through security (airport), **7**
  passer un examen to take an exam, **3.1**
le **pâté** pâté, **5.1**
patient(e) patient, **1.1**
le **pavillon** small house, bungalow
payer to pay, **6.1**
le **pays** country, **7.1**
le **paysage** landscape
la **pêche** fishing
  faire une belle pêche to catch a lot of fish
le **pêcheur** fisherman
peint (inf. peindre) paints
le/la **peintre** painter, artist
la **peinture** painting
pendant during, for (time), **3.2**
  pendant que while
penser to think
le **penseur** thinker
perdre to lose, **8.2**
  perdre patience to lose patience, **8.2**
le **père** father, **4.1**
la **périphérie** outskirts
permettre to allow, permit
la **personne** person
personnel(le) personal
le **personnel de bord** flight attendants, **7.2**
la **perte** loss
petit(e) short, small, **1.1**
la **petite-fille** granddaughter, **4.1**
le **petit-fils** grandson, **4.1**
peu few
  un peu (de) a little
la **photo** photograph
la **phrase** sentence
la **physique** physics, **2.2**
physique physical
la **pièce** room, **4.2**; play (theater)
le **pied** foot
  à pied on foot, **5.2**
  au pied de at the foot of

le/la **pilote** pilot
  le/la **pilote de ligne** airline pilot
piloter to pilot
pittoresque picturesque
la **place** seat (plane, train, etc.), **7.1**; place; parking space
la **plaine** plain
le **plan** map
la **plante** plant
le **plastique: en plastique** plastic (adj.)
le **plat** dish (food)
le **plateau** plateau
plein(e) full
  en pleine zone tempérée right in the temperate zone
la **plupart (des)** most (of), **8.2**
le **pluriel** plural
plus more
  plus ou moins more or less
  plus tard later
plusieurs several
le **poème** poem
la **poésie** poetry
le **poids** weight
point: à point medium-rare (meat), **5.2**
le **poisson** fish, **6.1**
la **poissonnerie** fish store, **6.1**
la **Polynésie française** French Polynesia
la **pomme** apple, **6.2**
la **pomme de terre** potato, **6.2**
populaire popular, **1.2**
le **port** port, harbor
  le **port de pêche** fishing port
la **porte** gate (airport), **7.1**
porter to carry; to bear
le **porteur** porter, **8.1**
poser une question to ask a question, **3.1**
le **pot** jar, **6.2**
le **pouce** inch, thumb
le **poulet** chicken, **6.1**
la **poupée** doll
pour for, **2**
le **pourboire** tip (restaurant), **5.2**
  laisser un pourboire to leave a tip, **5.2**
le **pourcentage** percentage
pourquoi why
pouvoir to be able to, **6**
précis(e) precise, exact
  à l'heure précise right on time
préférer to prefer, **5**
le **préfixe** prefix
premier, première first, **4.1**
  en première in first class, **8.1**

les tout (inv.) premiers (m. pl.) the very first
premièrement first of all
prendre to take; to buy; to eat (drink) (in a café, restaurant, etc.)
préparer to prepare, **4.2**
près de near, **4.2**
la **préservation** preservation
presque almost
prêt(e) ready
prie: Je vous en prie. Please, I beg of you.; You're welcome., **BV**
primaire: l'école (f.) primaire elementary school
principal(e) main, principal
la **principauté** principality
pris(e) taken, **5.1**
privé(e) private
le **prix** price, cost
  à prix fixe at a fixed price
le **problème** problem
proche near
prochain(e) next, **8.2**
le **produit** product
le/la **prof** teacher (inform.), **2.1**
le **professeur** teacher (m. and f.), **2.1**
le **progrès** progress
progressif, progressive progressive
propre own (adj.); clean
la **protéine** protein
provenance: en provenance de arriving from (train, plane, etc.), **7.1**
provençal(e) from Provence, the south of France
les **provisions (f. pl.)** groceries
punir to punish, **7**

Q

le **quai** platform (railroad), **8.1**
la **qualité** quality
quand when, **3.1**
quarante forty, **BV**
le **quart: et quart** a quarter past (time), **2**
  moins le quart a quarter to (time), **2**
le **quartier** neighborhood, district, **4.2**
quatorze fourteen, **BV**
quatre four, **BV**
quatre-vingt-dix ninety, **5.2**
quatre-vingts eighty, **5.2**
quel(le) which, what, **7**

Quel est le numéro de téléphone de... ? What is the phone number of … ?, 5

Quelle est la date aujourd'hui? What is today's date?, **4.1**

quelque some (sing.)

quelque chose à manger something to eat, **5.1**

quelquefois sometimes, **5**

quelques some (pl.), **8.2**

Qu'est-ce que c'est? What is it?, **BV**

la **question: poser une question** to ask a question, **3.1**

la **queue: faire la queue** to wait in line, **8.1**

qui who, **BV**; which, that

Qui ça? Who (do you mean)?, **BV**

Qui est-ce? Who is it?, **BV**

quinze fifteen, **BV**

quitter to leave (a room, etc.), **3.1**

R

la **radio** radio, **3.2**
la **raison** reason
rapide quick, fast
le **rapport** relationship
rare rare
la **réaction** reaction
la **recette** recipe
recevoir to receive
la **récréation** recess
récrire to rewrite
récupérer to claim (luggage), **7.2**
refléter to reflect
regarder to look at, **3.1**
la **région** region
le **règlement** rule
regretter to be sorry
relativement relatively
relié(e) connected
remarquer to notice
remplir to fill out, **7.2**
la **rencontre** meeting
renommé(e) famous, renowned
les **renseignements** (m. pl.) information
rentrer to go home, **3.1**
le **repas** meal
répéter to repeat
répondre to answer, **8**
la **réponse** answer
réserver to reserve

résidentiel(le) residential
la **résistance** resistance
ressembler à to resemble
le **restaurant** restaurant, **5.2**
la **restauration** food service
rester to stay, remain
le **retard** delay
en retard late, **8.2**
réussir (à) to succeed; to pass (exam), **7**
la **révolution** revolution
le **rez-de-chaussée** ground floor, **4.2**
riche rich
Rien d'autre. Nothing else., **6.2**
rigoler to joke around, **3.2**
le **riz** rice
la **robe** dress; robe
le **rôle** role
le **roman** novel
rouge red
rouler vite to go fast
la **rue** street, **3.1**
rural(e) rural

S

sa his, her (f. sing. poss. adj.), **4**
le **sac** bag, **6.1**
le sac à dos backpack, **BV**
saignant(e) rare (meat), **5.2**
la **salade** salad, **5.1**
la **salle** room
la salle à manger dining room, **4.2**
la salle d'attente waiting room, **8.1**
la salle de bains bathroom, **4.2**
la salle de classe classroom, **2.1**
la salle de séjour living room, **4.2**
salut hi, **BV**
samedi (m.) Saturday, **2.2**
le **sandwich** sandwich, **5.1**
sans without
la **santé** health
la **saucisse de Francfort** hot dog, **5.1**
le **saucisson** sausage, **6.1**
le **savant** scientist
la **scène** scene
les **sciences** (f. pl.) science, **2.2**
les sciences humaines social sciences
les sciences naturelles natural sciences
le **scorbut** scurvy

la **sculpture** sculpture
secondaire: l'école (f.) **secondaire** junior high, high school
la **seconde** second (time)
seconde: en seconde in second class, **8.1**
seize sixteen, **BV**
selon according to
la **semaine** week, **2.2**
par semaine a (per) week, **3.2**
le **Sénégal** Senegal
le **sens** meaning
séparer to separate
sept seven, **BV**
septembre (m.) September, **4.1**
le **serveur**, la **serveuse** waiter, waitress, **5.1**
le **service** tip; service, **5.2**
Le service est compris. The tip is included., **5.2**
la **serviette** napkin, **5.2**
servir to serve (food), **7.2**
ses his, her (pl. poss. adj.), **5**
seul(e) only (adj.)
tout(e) seul(e) all alone, by himself/herself
seulement only (adv.)
la **sève** sap
tirer la sève to tap (maple sugar)
le **sexe** sex
si if
le **siècle** century
le **siège** seat, **7.1**
s'il te plaît please (fam.), **BV**
s'il vous plaît please (form.), **BV**
sincère sincere, **1.2**
le **sirop: le sirop d'érable** maple syrup
situé(e) located
six six, **BV**
social(e) social
la **société** society
la **sociologie** sociology
la **sœur** sister, **1.2**
le **soir** evening, in the evening, **2**
du soir in the evening, P.M., **2**
soixante sixty, **BV**
soixante-dix seventy, **5.2**
soluble dans l'eau water-soluble
soluble dans la graisse fat-soluble
son his, her (m. sing. poss. adj.), **4**
la **sorte** sort, kind
la **sortie** exit, **7.1**

sortir to go out, take out, 7
la **soupe à l'oignon** onion soup, **5.1**
la **source** source
sous under, BV
souterrain(e) underground
souvent often, **5**
le **sport: faire du sport** to play sports
la **station de métro** subway station, **4.2**
le **steak frites** steak and French fries, **5.2**
le **steward** flight attendant (m.), **7.2**
le **stylo** (ballpoint) pen, BV
le **sucre** sugar
sucré(e) sweet, with sugar
le **sud** south
le **sud-est** southeast
suivant(e) following
super terrific, super, **2.2**
la **superficie** area (geography)
le **supermarché** supermarket, **6.1**
supersonique supersonic
le **supplément** surcharge (train fare), **8**
payer un supplément to pay a surcharge
sur on, BV
sur mesure tailor-made
la **surface** surface
surgelé(e) frozen, **6.2**
surtout especially, above all
sympa (inv.) nice (abbrev. for **sympathique**), **1.2**
sympathique nice (person), **1.2**
le **synonyme** synonym
le **système** system

T

ta your (f. sing. poss. adj.), 4
la **table** table, BV
le **tableau** blackboard, BV; painting
le tableau des départs et des arrivées arrival and departure board
la **taille** size
le **tailleur** tailor
la **tante** aunt, **4.1**
tard: plus tard later
le **tarif** fare
les tarifs aériens airfares
la **tarte** pie, tart, **6.1**
la tarte aux fruits fruit tart, pie
la **tasse** cup, **5.2**

le **taux** rate, level
le **taxi** taxi, **7.2**
technique technical
la **télé** TV, **3.2**
le **téléphone** telephone
le **temps** time
la **terrasse** terrace, **4.2**
la terrasse d'un café sidewalk café, **5.1**
la **terre** earth, land
terrible terrible; terrific (inform.), **2.2**
le **territoire** territory
la **tête** head
le **thé** tea, **5.1**
le thé à la menthe mint tea
le thé citron tea with lemon
le **théâtre** theater
timide timid, shy, **1.2**
tirer: tirer la sève to tap (maple sugar)
le **tissu** fabric
les **toilettes (f. pl.)** bathroom, **4.2**
la **tomate** tomato, **6.2**
ton your (m. sing. poss. adj.), 4
total(e) total
toujours always, **5**; still
la **tour Eiffel** Eiffel Tower
le **tour: À votre tour.** (It's) your turn.
le/la **touriste** tourist
tous, toutes all, every, 7
tous (toutes) les deux both
tout(e) the whole, the entire, 7; all, any
À tout à l'heure. See you later., BV
C'est tout? Is that all?, **6.2**
tout le monde everyone, everybody, BV
tout(e) seul(e) all alone, all by himself/herself, **5.2**
les tout (inv.) premiers (m. pl.) the very first
le **train** train, **8.1**
le train à grande vitesse (TGV) high-speed train, 8
traiter to treat (illness)
le **trajet** distance
le **travail** work
travailler to work, **3.1**
treize thirteen, BV
trente thirty, BV
très very, **1.2**
la **trigonométrie** trigonometry, **2.2**
trois three, BV
troisième third, **4.2**
tropical(e) tropical
trouver to find, **5.1**
tu you (fam. subj. pron.), 1

typique typical

U

un, une a, one, BV
unique: l'enfant unique only child
unir to unite
l' **unité (f.)** unit
l' **université (f.)** university
utiliser to use
en utilisant using

V

les **vacances (f. pl.)** vacation
en vacances on vacation
la **valeur** value
la **valise** suitcase, **7.1**
faire les valises to pack, **7.1**
la **vanille: à la vanille** vanilla (adj.), **5.1**
varié(e) varied
varier to vary
la **variété** variety
le **végétal** vegetable, plant
végétarien(ne) vegetarian
le **vélo: à vélo** by bicycle
vendre to sell, **8.1**
vendredi (m.) Friday, **2.2**
la **vente** sale
le **verbe** verb
vérifier to check, verify, **7.1**
le **verre** glass, **5.2**
vers around (time)
la **viande** meat, **6.1**
le **vide** vacuum, space
la **vidéo(cassette)** videocassette, **3.2**
la **vie** life
vieille old (f.), **4.1**
vieux (vieil) old (m.), **4.1**
le **vignoble** vineyard
la **villa** house
le **village** village, small town
la **ville** city, town
le **vin (rouge, blanc)** (red, white) wine
vingt twenty, BV
violent(e) violent
la **vitamine** vitamin
Vive... ! Long live … !, Hooray for … !
voici here is, here are, **1.1**
la **voie** track (railroad), **8.1**
voilà there is, there are (emphatic)
le/la **voisin(e)** neighbor, **4.2**

la **voiture** car, **4.2**
   en voiture by car, **5.2**; "All
      aboard!", **8**
   monter en voiture to get on
      the train, **8**
la **voiture-lit** sleeping car, **8.2**
la **voiture-restaurant** dining car
le **vol** flight, **7.1**
   le vol intérieur domestic
      flight, **7.1**
   le vol international
      international flight, **7.1**
le **volume** volume
   vos your (pl. poss. adj.), **5**
   votre your (sing. poss. adj.), **5**
   voudrais: je voudrais I would
      like, **5.1**
   vouloir to want, **6.1**

vous you (sing. form. and pl.), **2**
le **voyage: faire un voyage** to take
      a trip, **7.1**
   voyager to travel, **8.1**
le **voyageur**, la **voyageuse** traveler,
      passenger, **8.1**
   vrai(e) true, real
   vraiment really, **2.1**
la **vue** view

W

le **walkman** Walkman, **3.2**
les **Wallons (m.)** Walloons
      (French-speaking Belgians)
le **week-end** weekend, **2.2**

Y

   y there, **5.2**
le **yaourt** yogurt, **6.1**
les **yeux (m. pl; sing. œil)** eyes

Z

   zéro zero, **BV**
la **zone** area, zone, section, **7.1**
   en pleine zone tempérée
      right in the temperate zone
la **zoologie** zoology

VOCABULAIRE
ANGLAIS–FRANÇAIS

The *Vocabulaire anglais–français* contains all productive vocabulary from the text.

The numbers following each entry indicate the chapter and vocabulary section in which the word is introduced. For example, 2.2 means that the word first appeared in *Chapitre 2, Mots 2*. **BV** refers to the introductory *Bienvenue* chapter.

The following abbreviations are used in this glossary.

adj.	adjective
adv.	adverb
conj.	conjunction
dem. adj.	demonstrative adjective
dem. pron.	demonstrative pronoun
dir. obj.	direct object
f.	feminine
fam.	familiar
form.	formal
ind. obj.	indirect object
inf.	infinitive
inform.	informal
interrog. adj	interrogative adjective
inv.	invariable
m.	masculine
n.	noun
pl.	plural
poss. adj.	possessive adjective
prep.	preposition
pron.	pronoun
sing.	singular
subj.	subject

A

a un, une, 1.1
  a day (week) par jour (semaine), 3.2
  a lot beaucoup, 3.1
after après, 3.2
afternoon l'après-midi (m.), 2
age l'âge, 4.1
agent (m. and f.) l'agent (m.), 7.1
to agree être d'accord, 2.1
air terminal l'aérogare (f.), 7.2
airline la compagnie aérienne, 7.1
airplane l'avion (m.), 7.1
airport l'aéroport (m.), 7.1
aisle le couloir, 8.2
  aisle seat (une place) côté couloir (adj.), 7.1
algebra l'algèbre (f.), 2.2
all tous, toutes, 7
  all alone tout(e) seul(e), 5.2
  all right (agreement) d'accord, 3
  Is that all? C'est tout?, 6.2
also aussi, 1.1
always toujours, 5
American (adj.) américain(e), 1.1
and et, 1
  and you? et toi? (fam.), BV
announcement l'annonce, (f.), 8.1
to answer répondre, 8
Anything else? Autre chose?, Avec ça?, 6.2
apartment l'appartement (m.), 4.2
  apartment building l'immeuble (m.), 4.2
apple la pomme, 6.2
appointment: appointment book l'agenda (m.), 2.2
April avril (m.), 4.1
arrival l'arrivée (f.), 7.2
to arrive arriver, 3.1
  arriving from (flight) en provenance de, 7.1
art l'art (m.), 2.2
to ask (for) demander, 5
  to ask a question poser une question, 3.1
at à, 3.1
  at the au, à la, à l', aux, 5
  at the home (business) of chez, 5
  at what time? à quelle heure?, 2
August août (m.), 4.1
aunt la tante, 4.1

B

backpack le sac à dos, **BV**
bag le sac, **6.1**
bakery la boulangerie-pâtisserie, **6.1**
balcony le balcon, **4.2**
banana la banane, **6.2**
bathroom la salle de bains, les toilettes (f. pl.), **4.2**
to **be** être, **2.1**
   to be able to pouvoir, **6**
   to be early être en avance, **8.1**
   to be hungry avoir faim, **5.1**
   to be late être en retard, **8.2**
   to be on time être à l'heure, **8.1**
   to be thirsty avoir soif, **5.2**
   to be … years old avoir... ans, **4.1**
beautiful beau (bel), belle, **4**
bed le lit, **8.2**
bedroom la chambre à coucher, **4.2**
beef le bœuf, **6.1**
before avant, **7.1**
behind derrière, **BV**
beverage la boisson, **5.2**
big grand(e), **1.1**
biology la biologie, **2.2**
birthday l'anniversaire (m.), **4.1**
   When is your birthday? C'est quand, ton anniversaire? (fam.), **4.1**
blackboard le tableau, **BV**
blond blond(e), **1.1**
to **board (plane)** embarquer, **7.2**; **(train)** monter, **8.2**
boarding pass la carte d'embarquement, **7.1**
book le livre, **BV**
bottle la bouteille, **6.2**
boy le garçon, **BV**
bread le pain, **6.1**
   loaf of French bread la baguette, **6.1**
brother le frère, **1.2**
brunette brun(e), **1.1**
bunk (on a train) la couchette, **8.2**
bus le bus, **5.2**; l'autocar (m.), **7.2**
   by bus en bus, **5.2**
busy occupé(e), **2.2**
but mais, **1**
butcher shop la boucherie, **6.1**
butter le beurre, **6.2**
to **buy** acheter, **6.1**
   to buy a ticket prendre un billet, **7**

C

cabin (plane) la cabine, **7.1**
café le café, **5.1**
cake le gâteau, **6.1**
calculator la calculatrice, **BV**
can of food la boîte de conserve, **6.2**
Canadian (adj.) canadien(ne), **7**
car la voiture, **4.2**
   by car en voiture, **5.2**
carrot la carotte, **6.2**
carry-on luggage les bagages (m. pl.) à main, **7.1**
cash register la caisse, **6.2**
cassette la cassette, **3.2**
cat le chat, **4.1**
chair la chaise, **BV**
chalk: piece of chalk le morceau de craie, **BV**
to **change** changer (de), **8.2**
to **chat** bavarder, **4.2**
check (in restaurant) l'addition (f.), **5.2**
to **check** vérifier, **7.1**
   to check (luggage) faire enregistrer, **7.1**
checkout counter la caisse, **6.2**
checkroom la consigne, **8.1**
cheese le fromage, **5.1**
chemistry la chimie, **2.2**
chicken le poulet, **6.1**
child l'enfant (m. and f.), **4.1**
chocolate (adj.) au chocolat, **5.1**
to **choose** choisir, **7.1**
to **claim (luggage)** récupérer, **7.2**
class (people) la classe, **2.1**; **(course)** le cours, **2.2**
   first (second) class en première (seconde), **8.1**
classroom la salle de classe, **2.1**
Coca-Cola le coca, **5.1**
coffee le café, **5.1**
   black coffee l'express (m.), **5.1**
   coffee with cream (in a café) le crème, **5.1**
compact disc le compact disc, **3.2**
compartment le compartiment, **7.2**
computer l'ordinateur (m.), **BV**
   computer science l'informatique (f.), **2.2**
conductor (train) le contrôleur, **8.2**
confident confiant(e), **1.1**
to **cook** faire la cuisine, **6**
corridor le couloir, **8.2**
counter le comptoir, **7.1**
country le pays, **7.1**

course le cours, **2.2**
courtyard la cour, **4.2**
cousin le/la cousin(e), **4.1**
crab le crabe, **6.1**
cream la crème, **6.1**
crepe la crêpe, **5.1**
croissant le croissant, **6.1**
cup la tasse, **5.2**
customs la douane, **7.2**
   to go through customs passer à la douane, **7.2**

D

dairy store la crémerie, **6.1**
to **dance** danser, **3.2**
dark hair brun(e), **1.1**
date la date, **4.1**
   What is the date today? Quelle est la date aujourd'hui?, **4.1**
daughter la fille, **4.1**
day le jour, **2.2**
   a (per) day par jour, **3**
   What day is it? C'est quel jour?, **2.2**
December décembre (m.), **4.1**
delicatessen la charcuterie, **6.1**
departure le départ, **7.1**
desk le bureau, **BV**
difficult difficile, **2.1**
dining car la voiture-restaurant, **8.2**
dining room la salle à manger, **4.2**
dinner le dîner, **4.2**
   to eat dinner dîner, **4.2**
district le quartier, **4.2**; **(Paris)** l'arrondissement (m.)
to **do** faire, **6.1**
   to do the shopping faire les courses, **6.1**
dog le chien, **4.1**
dollar le dollar, **3.2**
domestic (flight) intérieur(e), **7.1**
dozen la douzaine, **6.2**
during pendant, **3.2**

E

early: to be early être en avance, **8.1**
to **earn** gagner, **3.2**
easy facile, **2.1**
to **eat** manger, **5**
   to eat breakfast prendre le petit déjeuner, **7**
   to eat dinner dîner, **4.2**
   to eat lunch déjeuner, **5.2**
egg l'œuf (m.), **6.2**

eight huit, BV
eighteen dix-huit, BV
eighty quatre-vingts, 5.2
elevator l'ascenseur (m.), 4.2
eleven onze, BV
energetic énergique, 1.2
English (language) l'anglais (m.), 2.2
to **enter** entrer, 3.1
entrance l'entrée (f.), 4.2
espresso l'express (m.), 5.1
European (adj.) européen(ne), 7
evening le soir, 2
    in the evening (p.m.) du soir, 2
every tous, toutes, 7
everybody, everyone tout le monde, BV
exam l'examen (m.), 3.1
    to pass an exam réussir à un examen, 7
    to take an exam passer un examen, 3.1
exit la sortie, 7.1

F

fairly assez, 1.1
family la famille, 4.1
famous célèbre, 1.2
fantastic fantastique, 1.2
far from loin de, 4.2
father le père, 4.1
February février, 4.1
fifteen quinze, BV
fifty cinquante, BV
to **fill out** remplir, 7.2
to **find** trouver, 5.1
fine Ça va.; bien, BV
to **finish** finir, 7
first premier, première (adj.), 4.2
    in first class en première, 8.1
fish le poisson, 6.1
    fish store la poissonnerie, 6.1
five cinq, BV
flight le vol, 7.1
    flight attendant l'hôtesse (f.) de l'air, le steward, 7.2
    flight attendants le personnel de bord, 7.2
floor (of a building) l'étage (m.), 4.2
foot: on foot à pied, 5.2
for (time) depuis, 8.2
fork la fourchette, 5.2
forty quarante, BV
four quatre, BV
fourteen quatorze, BV
free libre, 2.2

French français(e) (adj.), 1.1; (language) le français, 2.2
    French fries les frites (f. pl.), 5.2
Friday vendredi (m.), 2.2
friend l'ami(e), 1.2; (pal) le copain, la copine, 2.1
from de, 1.1
    from the du, de la, de l', des, 5
frozen surgelé(e), 6.2
fruit le fruit, 6.2
full-time à plein temps, 3.2
funny amusant(e), 1.1; comique, 1.2

G

garage le garage, 4.2
garden le jardin, 4.2
gate (airport) la porte, 7.1
geography la géographie, 2.2
geometry la géométrie, 2.2
to **get off (plane, train, etc.)** descendre, 8.2
to **get on (board)** monter, 8.2
girl la fille, BV
to **give** donner, 3.2
glass le verre, 5.2
to **go** aller, 5.1
    Shall we go? On y va?, 5
    to go home rentrer, 3.1
    to go out sortir, 7
    to go through customs passer à la douane, 7.2
good bon(ne), 7
good-bye au revoir, ciao (inform.), BV
gram le gramme, 6.2
granddaughter la petite-fille, 4.1
grandfather le grand-père, 4.1
grandmother la grand-mère, 4.1
grandparents les grands-parents (m. pl.), 4.1
grandson le petit-fils, 4.1
Great! Chouette! (inform.), 2.2
green beans les haricots (m. pl.) verts, 6.2
grilled ham and cheese sandwich le croque-monsieur, 5.1
grocery store l'épicerie (f.), 6.1
ground floor le rez-de-chaussée, 4.2
gymnastics la gymnastique, 2.2

H

half demi(e)
    half past (time) et demie, 2

ham le jambon, 5.1
happy content(e), 1.1
to **hate** détester, 3.2
to **have** avoir, 4.1
    to have a picnic faire un pique-nique, 6
he il, 1
to **hear** entendre, 8.1
hello bonjour, BV
her (poss. adj.) sa, son, ses, 4
here is, here are voici, 1.1
hi salut, BV
high school le lycée, 1.2
his sa, son, ses, 4
history l'histoire (f.), 2.2
homework (assignment) le devoir, BV
    to do homework faire les devoirs, 6
hot dog la saucisse de Francfort, 5.1
house la maison, 3.1
how: How are you? Ça va? (inform.); Comment vas-tu? (fam.); Comment allez-vous? (form.), BV
    How much? Combien?, 6.2
    How much is it? C'est combien?, BV
    How much is that? Ça fait combien?, 5.2
    How's it going? Ça va?, BV
hundred cent, 5.2
husband le mari, 4.1

I

I je, 1
ice cream la glace, 5.1
immigration l'immigration (f.), 7.2
impatient impatient(e), 1.1
in dans, BV; à, 3.1
    in back of derrière, BV
    in first (second) class en première (seconde), 8.1
    in front of devant, BV
intelligent intelligent(e), 1.1
interesting intéressant(e), 1.1
international international(e), 7.1
to **invite** inviter, 3.2
it is, it's c'est, BV
    It's (That's) expensive. Ça coute cher., 7.2
Italian (adj.) italien(ne), 7

J

January janvier (m.), **4.1**
jar le pot, **6.2**
to joke around rigoler, **3.2**
July juillet (m.), **4.1**
June juin (m.), **4.1**

K

kilogram le kilo, **6.2**
kitchen la cuisine, **4.2**
knife le couteau, **5.2**

L

to land atterrir, **7.1**
landing card la carte de
débarquement, **7.2**
language la langue, **2.2**
late: to be late être en retard, **8.2**
Latin le latin, **2.2**
to leave partir, **7.1**
to leave (a room, etc.) quitter,
3.1
to leave (something behind)
laisser, **5.2**
to leave a tip laisser un
pourboire, **5.2**
left: to the left of à gauche de, **5**
lemonade le citron pressé, **5.1**
lettuce la laitue, **6.2**
to like aimer, **3.2**
I would like je voudrais, **5.1**
line: to wait in line faire la queue,
8.1
to listen (to) écouter, **3.2**
liter le litre, **6.2**
literature la littérature, **2.2**
to live (in a city, house, etc.)
habiter, **3.1**
living room la salle de séjour, **4.2**
locker la consigne automatique,
8.1
to look at regarder, **3.1**
to look for chercher, **5.1**
to lose perdre, **8.2**
to lose patience perdre
patience, **8.2**
loudspeaker le haut-parleur, **8.1**
to love aimer, adorer, **3.2**
luggage les bagages (m. pl.), **7.1**
carry-on luggage les bagages à
main, **7.1**

M

ma'am madame, **BV**
magazine le magazine, **3.2**
maître d' le maître d'hôtel, **5.2**
to make faire, **6.1**
man l'homme (m.), **2.1**
March mars (m.), **4.1**
market le marché, **6.2**
math les maths (f. pl.), **2.2**
May mai (m.), **4.1**
me moi (stress pron.), **1.2**
meat la viande, **6.1**
medium-rare (meat) à point, **5.2**
menu la carte, **5.1**
merchant le/la marchand(e), **6.2**
produce merchant le/la
marchand(e) de fruits et
légumes, **6.2**
midnight minuit (m.), **2.2**
milk le lait, **6.1**
mineral water l'eau (f.) minérale,
6.2
Miss (Ms.) Mademoiselle (Mlle),
BV
Monday lundi (m.), **2.2**
money l'argent (m.), **3.2**
month le mois, **4.1**
morning le matin, **2**
in the morning (a.m.) du
matin, **2**
most (of) la plupart (des), **8.2**
mother la mère, **4.1**
Mr. Monsieur (M.), **BV**
Mrs. (Ms.) Madame (Mme), **BV**
music la musique, **2.2**
mustard la moutarde, **6.2**
my ma, mon, mes, **4**

N

napkin la serviette, **5.2**
near près de, **4.2**
neighbor le/la voisin(e), **4.2**
neighborhood le quartier, **4.2**
nephew le neveu, **4.1**
net bag le filet, **6.1**
new nouveau (nouvel), nouvelle, **4**
newspaper le journal, **8.1**
newsstand le kiosque, **8.1**
next prochain(e), **8.2**
next to à côté de, **5**
nice (person) aimable,
sympathique, **1.2**
niece la nièce, **4.1**
nine neuf, **BV**
nineteen dix-neuf, **BV**
ninety quatre-vingt-dix, **5.2**

no non, **BV**
no smoking (section) la (zone)
non-fumeurs, **7.1**
noon midi (m.), **2.2**
not ne... pas, **1**
not bad pas mal, **BV**
notebook le cahier, **BV**
Nothing else. Rien d'autre., **6.2**
November novembre (m.), **4.1**
now maintenant, **2.1**
number le numéro, **5.2**
What is the phone number of
… ? Quel est le numéro de
téléphone de... ?, **5.2**

O

to obey obéir (à), **7**
o'clock: It's … o'clock. Il est...
heure(s)., **2.2**
October octobre (m.), **4.1**
of (belonging to) de, **5**
of the du, de la, de l', des, **5**
often souvent, **5**
O.K. (health) Ça va.; (agreement)
d'accord, **BV**
old vieux (vieil), vieille, **4.1**
How old are you? Tu as quel
âge? (fam.), **4.1**
omelette (with herbs/plain)
l'omelette (f.) (aux fines
herbes/nature), **5.1**
on sur, **BV**
on board à bord de, **7.2**
on foot à pied, **5.2**
on time à l'heure, **8.1**
one un, une, **BV**
one-way ticket l'aller simple (m.),
8.1
onion l'oignon (m.), **6.2**
onion soup la soupe à l'oignon,
5.1
or ou, **1.1**
orange (fruit) l'orange (f.), **6.2**
orange soda l'Orangina (m.),
5.1
to order commander, **5.1**
other autre, **BV**
our notre, nos, **5**
over there là-bas, **BV**

P

to pack (suitcases) faire les valises,
7.1
package le paquet, **6.2**
pal le copain, la copine, **2.1**
pancake la crêpe, **5.1**

paper: sheet of paper la feuille de papier, **BV**
parents les parents (m. pl.), **4.1**
Parisian (adj.) parisien(ne), **7**
part-time à mi-temps, **3.2**
party la fête, **3.2**
    to throw a party donner une fête, **3.2**
to **pass** passer, **7.2**
    to pass an exam réussir à un examen, **7**
passenger le passager, la passagère, **7.1**; **(train)** le voyageur, la voyageuse, **8**
passport le passeport, **7.1**
pâté le pâté, **5.1**
patient patient(e), **1.1**
to **pay** payer, **6.1**
    to pay attention faire attention, **6**
pen (ballpoint) le stylo, **BV**
pencil le crayon, **BV**
physical education l'éducation (f.) physique, **2.2**
physics la physique, **2.2**
pie la tarte, **6.1**
to **place** mettre, **8.1**
plain (adj.) nature, **5.1**
plane l'avion (m.), **7.1**
plate l'assiette (f.), **5.2**
platform (railroad) le quai, **8.1**
please s'il vous plaît (form.), s'il te plaît (fam.), **BV**
popular populaire, **1.2**
porter le porteur, **8.1**
potato la pomme de terre, **6.2**
pound la livre, **6.2**
to **prepare** préparer, **4.2**
pretty joli(e), **4.2**
to **punish** punir, **7**
to **put (on)** mettre, **8.1**

Q

quarter: quarter after (time) et quart, **2**
    quarter to (time) moins le quart, **2**
question: to ask a question poser une question, **3.1**

R

radio la radio, **3.2**
rare (meat) saignant(e), **5.2**
really vraiment, **2.1**
record le disque, **3.2**
restaurant le restaurant, **5.2**

right: to the right of à droite de, **5**
room la pièce, **4.2**
round-trip ticket le billet aller-retour, **8.1**

S

salad la salade, **5.1**
same même, **2.1**
sandwich le sandwich, **5.1**
    grilled ham and cheese sandwich le croque-monsieur, **5.1**
Saturday samedi (m.), **2.2**
sausage le saucisson, **6.1**
schedule l'horaire (m.), **8.1**
school l'école (f.), **1.2**
    high school le lycée, **1.2**
science les sciences (f. pl.), **2.2**
screen l'écran (m.), **7.1**
seat le siège, **7.1**
seat (on plane, at movies, etc.) la place, **7.1**
seated assis(e), **8.2**
second (adj.) deuxième, **4.2**
section la zone, **7.1**
    smoking (no smoking) section la zone fumeurs (non-fumeurs), **7.1**
security (airport) le contrôle de sécurité, **7.1**
see: See you later. À tout à l'heure., **BV**
    See you tomorrow. À demain., **BV**
to **sell** vendre, **8.1**
September septembre (m.), **4.1**
to **serve** servir, **7.2**
service le service, **5.2**
to **set the table** mettre le couvert, **8**
seven sept, **BV**
seventeen dix-sept, **BV**
seventy soixante-dix, **5.2**
Shall we go? On y va?, **5**
she elle, **1**
sheet of paper la feuille de papier, **BV**
short petit(e), **1.1**
shrimp la crevette, **6.1**
shy timide, **1.2**
sidewalk café la terrasse (d'un café), **5.1**
since (time) depuis, **8.2**
sincere sincère, **1.2**
to **sing** chanter, **3.2**
sir monsieur, **BV**
sister la sœur, **1.2**
six six, **BV**
sixteen seize, **BV**

sixty soixante, **BV**
to **sleep** dormir, **7.2**
sleeping car la voiture-lit, **8.2**
small petit(e), **1.1**
smoking (section) (la zone) fumeurs, **7.1**
snack bar (train) le grill-express, **8**
some quelques (pl.), **8.2**
something to eat quelque chose à manger, **5.1**
sometimes quelquefois, **5**
son le fils, **4.1**
Spanish (language) l'espagnol (m.), **2.2**
to **speak** parler, **3.1**
    to speak on the telephone parler au téléphone, **3.2**
spoon la cuillère, **5.2**
to **stamp (a ticket)** composter, **8.1**
standing debout, **8.2**
steak and French fries le steak frites, **5.2**
store le magasin, **3.2**
street la rue, **3.1**
student l'élève (m. et f.), **1.2**
to **study** étudier, **3.1**; faire des études, **6**
    to study French (math, etc.) faire du français (des maths, etc.), **6**
subject (in school) la matière, **2.2**
subway le métro, **4.2**
    by subway en métro, **5.2**
    subway station la station de métro, **4.2**
to **succeed** réussir (à), **7**
suitcase la valise, **7.1**
Sunday dimanche (m.), **2.2**
super extra, super (inform.), **2.2**
supermarket le supermarché, **6.1**

T

table la table, **BV**
    table setting le couvert, **5.2**
    to set the table mettre le couvert, **8**
tablecloth la nappe, **5.2**
to **take: to take an exam** passer un examen, **3.1**
    to take off (plane) décoller, **7.1**
    to take the train (plane, etc.) prendre le train (l'avion, etc.), **7**
    to take a trip faire un voyage, **7.1**
    taken pris(e), **5.1**
to **talk** parler, **3.1**

to talk on the phone parler au téléphone, **3.2**
tart la tarte, **6.1**
taxi le taxi, **7.2**
tea with lemon le thé citron, **5.1**
teacher le professeur, le/la prof (inform.), **2.1**
television la télé, **3.2**
ten dix, **BV**
terrace la terrasse, **4.2**
terrible terrible, **2.2**
terrific super, extra, terrible, **2.2**
test l'examen (m.), **3.1**
   to pass a test réussir à un examen, **7**
   to take a test passer un examen, **3.1**
thank you merci, **BV**
that ce (cet), cette (m. and f. sing. dem. adj.), **8**; ça (pron.), **BV**
the la, le, l', **1**; les, **2**
their leur, leurs, **5**
there y, **5**
   there is, there are il y a, **4.2**; voilà (emphatic), **BV**
these ces (m. and f. pl. dem. adj.), **8**
they elles, ils, **2**
third troisième, **4.2**
thirteen treize, **BV**
thirty trente, **BV**
this ce (cet), cette (m. and f. sing. dem. adj.), **8**
those ces (m. and f. pl. dem. adj.), **8**
thousand mille, **6.2**
three trois, **BV**
Thursday jeudi (m.), **2.2**
ticket le billet, **7.1**
   one-way ticket l'aller simple (m.), **8.1**
   round-trip ticket le billet aller-retour, **8.1**
   ticket window le guichet, **8.1**
time (of day) l'heure (f.), **2**
   at what time? à quelle heure?, **2**
   to be on time être à l'heure, **8.1**
   What time is it? Il est quelle heure?, **2**
   time difference le décalage horaire, **2**
timid timide, **1.2**
tip (restaurant) le service, le pourboire, **5.2**
   The tip is included. Le service est compris., **5.2**
   to leave a tip laisser un pourboire, **5.2**
to à, **3.1**; à destination de (flight, etc.), **7.1**

to the au, à la, à l', aux, **5**
to the left of à gauche de, **5**
to the right of à droite de, **5**
today aujourd'hui, **2.2**
together ensemble, **5.1**
toilet (bathroom) les toilettes (f. pl.), **4.2**
tomato la tomate, **6.2**
tomorrow demain, **2.2**
   See you tomorrow. À demain., **BV**
too (also) aussi, **1.1**
track (train) la voie, **8.1**
train le train, **8.1**
   train station la gare, **8.1**
traveler le voyageur, la voyageuse, **8.1**
trigonometry la trigonométrie, **2.2**
Tuesday mardi (m.), **2.2**
TV la télé, **3.2**
twelve douze, **BV**
twenty vingt, **BV**
two deux, **BV**

U

uncle l'oncle (m.), **4.1**
under sous, **BV**
unpleasant désagréable, antipathique (person), **1.2**
us nous, **7**

V

vanilla (adj.) à la vanille, **5.1**
vegetable le légume, **6.2**
very très, **1.1**
videocassette la vidéo(cassette), **3.2**

W

to wait (for) attendre, **8.1**
   to wait in line faire la queue, **8.1**
waiter le serveur, **5.1**
waiting room la salle d'attente, **8.1**
waitress la serveuse, **5.1**
Walkman le walkman, **3.2**
to want vouloir, **6.1**
water l'eau, **6.2**
we nous, **2**
Wednesday mercredi (m.), **2.2**
week la semaine, **2.2**
   a (per) week par semaine, **3.2**
weekend le week-end, **2.2**

well bien, **BV**
well-done (meat) bien cuit(e), **5.2**
what (interrog. adj.) quel(le), **7**
   What else? (shopping) Avec ça?, **6.2**
   What is it? Qu'est-ce que c'est?, **BV**
   What is ... like? Comment est... ? (description), **1.1**
when quand, **3.1**
   When is your birthday? C'est quand, ton anniversaire? (fam.), **4.1**
where où, **BV**
which (interrog. adj.) quel(le), **7**
who(m) qui, **BV**
   Who(m) (do you mean)? Qui ça?, **BV**
   Who is it? Qui est-ce?, **BV**
whole (adj.) tout(e)
wife la femme, **4.1**
window (seat in plane) (une place) côté fenêtre, **7.1**
with avec, **5.1**
woman la femme, **2.1**
to work travailler, **3.2**

Y

year l'an (m.), l'année (f.), **4.1**
   years: to be ... years old avoir... ans, **4.1**
yes oui, **BV**
yogurt le yaourt, **6.1**
you tu (fam. sing.), **1**; vous (sing. form. and pl.), **2**
You're welcome. De rien., Je t'en prie., Pas de quoi. (fam.); Ce n'est rien., Il n'y a pas de quoi., Je vous en prie. (form.), **BV**
young jeune, **4.1**
your ta, ton, tes (fam.), **4**; votre, vos (form.), **5**

Z

zero zéro, **BV**

INDEX GRAMMATICAL